# SCIENCES NATURELLES

COURS PUBLIÉ SOUS LA DIRECTION DE M. ALBERT OBRÉ
INSPECTEUR GÉNÉRAL DE L'INSTRUCTION PUBLIQUE
DOCTEUR ÈS-SCIENCES

# GÉOLOGIE

## PAR R. BALLAND
Professeur agrégé
au Lycée Henri-IV

## & A. SALVAING
Professeur agrégé au
Lycée Claude-Bernard

**4**e
**M**

## CLASSIQUES HACHETTE
79, BD ST-GERMAIN - PARIS VIe

**1** La Reculée de Baume-les-Messieurs ou Creux de la Seille, au nord de Lons-le-Saunier. On note de chaque côté de l'image deux corniches abruptes, parties terminales d'un plateau dont on devine l'étendue, et que recouvre une terre végétale sur laquelle s'étend la forêt. Les deux corniches surplombent deux pentes plus douces, d'un sol qui paraît plus meuble et qui descend au fond d'une vallée profonde dans laquelle coule une rivière peu importante. Son cours assez sinueux se déplace d'une rive à l'autre. On y aperçoit des arbres, par endroits des étendues plus plates portent des cultures. Quelques maisons disséminées çà et là donnent un aspect humain à ce paysage.

# Introduction à la Géologie

## I. La Géologie.

*La Géologie est la science de la Terre.* Bien des sciences étudient notre globe terrestre. L'Astronomie envisage ses rapports avec le soleil et le système solaire. La *Géographie* décrit l'aspect actuel de la surface de la Terre et s'efforce de l'expliquer. On distingue la Géographie physique qui se préoccupe des climats, des eaux et des formes du relief, la Géographie humaine qui s'attache à la répartition des hommes et à leurs travaux, la Géographie économique qui étudie les ressources naturelles, agricoles et industrielles, et leur exploitation par les hommes. Mais cet aspect présent de la surface terrestre est le résultat d'une longue évolution qui s'est déroulée au cours des temps passés. Cette évolution ne peut se comprendre que si l'on connaît la constitution des parties superficielles de l'écorce terrestre et l'action des agents qui ont modifié, au cours des temps géologiques, leur apparence et leur disposition primitives. L'étude de la *constitution de la Terre* et des *transformations successives* de sa surface, en un mot, la reconstitution de son *histoire*, tel est le but que se proposent les Géologues.

Nous comprendrons mieux les caractères propres de la Géologie en analysant la photographie de la Reculée de Baume-les-Messieurs ou Creux de la Seille, dans le Jura, au nord de Lons-le-Saulnier *(fig. 1)*.

### A. Les roches.

Au premier regard on est frappé par les corniches blanches à rebord vertical qui encadrent la vallée : ce sont des bancs *calcaires*. Au-dessous, un talus à pente plus douce plus ou moins couvert de végétation correspond à des couches d'argiles et de marnes (argile et calcaire mélangés). Le fond de la vallée enfin, où serpente un ruisseau, est occupé par des alluvions argileuses et sableuses sur lesquelles les hommes ont installé des cultures, édifié des maisons et construit une route.

Calcaire, argile, marne, sables sont des *roches*. Il en existe beaucoup d'autres : gypse, grès, houille, granite et basalte que nous observerons en d'autres lieux. L'étude des roches constitue la *Pétrographie*.

### B. Les fossiles.

On peut reconnaître, en observant attentivement les calcaires ou les marnes, des empreintes ou même de véritables coquilles, comparables à celles des animaux : huîtres, oursins, qui vivent aujourd'hui dans la mer et qui sont parfois rejetés sur les plages. Ces empreintes ou ces coquilles pétrifiées sont des *fossiles*. On désigne sous ce nom de *fossiles* tous les restes d'êtres vivants, animaux ou végétaux, qui sont conservés, pétrifiés, dans les roches. L'étude des fossiles constitue la *Paléontologie*.

### C. La stratigraphie.

Les bancs calcaires forment ici une plateforme horizontale que l'on reconnaît jusqu'au fond du paysage, recouvrant les marnes et les argiles des talus. Bancs calcaires et couches d'argiles et de marnes sous-jacentes constituent des *strates* superposées. On appelle strates les couches horizontales et parallèles formées de roches déposées successivement les unes au-dessus des autres. Ce dépôt est appelé *sédimentation* et ces roches sont des *roches sédimentaires* ou *stratifiées*.

Il est bien évident que les argiles et les marnes se sont déposées avant les calcaires qui les recouvrent; elles sont plus anciennes. Elles contiennent des fossiles représentant des animaux qui ont vécu avant ceux dont on retrouve les restes fossilisés dans les calcaires.

Dans une série de strates, les couches sont superposées dans l'ordre même de leur dépôt, les couches les plus anciennes

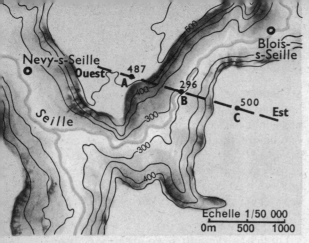

▲ 2 Le Creux de la Seille d'après la carte d'État-major. Noter les altitudes, la disposition des courbes indiquant le relief.

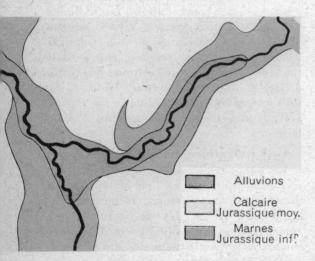

Alluvions

Calcaire Jurassique moy.

Marnes Jurassique inf.

▲ 3 Carte géologique du Creux de la Seille.

▼ 4 Coupe du Creux de la Seille.

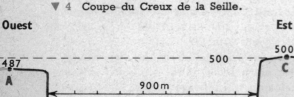

sont à la base, les couches les plus récentes sont au sommet. C'est le principe de superposition, principe fondamental de la *Stratigraphie*.

La *Stratigraphie* est l'étude de la série des strates déposées depuis les temps les plus anciens jusqu'aux périodes les plus récentes. Les temps géologiques ont été divisés en *ères*, elles-mêmes subdivisées en *périodes*, comme l'indique le tableau ci-contre; à chaque période correspond une série de strates déposées durant cette période et constituant un *système*. Ce tableau constitue ce que les géologues appellent *l'échelle stratigraphique*.

| ÈRES | PÉRIODES ET SYSTÈMES | DURÉE PROBABLE |
|---|---|---|
| Quaternaire | Néolithique Paléolithique | 1 million d'années |
| Tertiaire | Néogène Nummulitique | 60 millions d'années |
| Secondaire | Crétacé Jurassique Trias | 150 millions d'années |
| Primaire | Permien Carbonifère Dévonien Silurien Cambrien | 300 millions d'années |
| Anté-cambrienne | | 3 milliards d'années |

## D. Les phénomènes géologiques.

Il est facile d'imaginer que les bancs calcaires encadrant le Creux de la Seille formaient, lors de leur dépôt, une couche continue, et ont constitué une carapace résistante au-dessus des marnes tendres.

Mais une rivière a coulé par là et a creusé sa vallée, très lentement, dans les calcaires durs, beaucoup plus vite dans les marnes tendres. Il suffit d'observer, après un violent orage, le sol raviné de certaines régions dénudées et en forte pente pour comprendre la force de creusement des eaux au courant rapide. On

4

appelle *érosion* ce travail de creusement. Il s'est effectué au cours de la longue durée des périodes géologiques; c'est ce qui nous permet de comprendre son importance dans le cas du Creux de la Seille. Les matériaux ainsi arrachés par les eaux rapides sont entraînés jusque dans les rivières et les fleuves, jusque dans les lacs ou la mer; là ils se déposent : c'est la *sédimentation*.

*Erosion* et *sédimentation* peuvent être observées de nos jours; ce sont des *phénomènes actuels*. Mais ils se sont produits, d'une manière analogue, avec plus ou moins d'intensité, tout au long des temps géologiques, c'est pourquoi on les appelle *phénomènes géologiques*, leur étude constitue la *Géologie dynamique*.

Pétrographie et Paléontologie, Stratigraphie et Géologie dynamique constituent les diverses sciences que doit connaître le Géologue.

## 2. Le Géologue au travail.

### A. Cartes et coupes géologiques.

Le Géologue est avant tout un *homme de terrain*. Il cherche dans la nature des points où les roches sont bien visibles : carrières, falaises et ravins, tranchées de routes ou de voies ferrées : ce sont des *affleurements*. Sur la carte géographique de la région il reporte les points observés; armé de son marteau de géologue, il détache des échantillons de roche, recherche et recueille des fossiles. Il les étudiera tout à loisir au *laboratoire*. Pour établir la carte géologique du Creux de la Seille il reportera sur la carte géographique la ligne de contact entre le banc calcaire et les marnes qu'il recouvre, au pied de la corniche, puis le contact des alluvions du fond de la vallée avec le bas du talus marneux. Les fossiles recueillis dans le calcaire indiquent le *Jurassique moyen*, la surface correspondant à la plate-forme calcaire sera colorée en jaune; les marnes sous-jacentes représentent le *Jurassique inférieur*, sur la carte, elles seront représentées par la couleur bleue; les alluvions du fond de la vallée

seront représentées par une teinte grise *(fig. 3)*.

Les cartes géologiques sont plus commodes à interpréter lorsqu'elles sont accompagnées de *profils* et de *coupes*. Pour dessiner la *coupe géologique* du Creux de la Seille, il faut d'abord en relever le profil transversal; pour cela, on recherche des points cotés remarquables A (487), B (296), C (500); on les rejoint par une ligne et on obtient ainsi une base que l'on reportera sur la feuille de papier, de préférence à l'échelle de la carte (1 / 50 000 par exemple). Sur cette base horizontale et en face des points A, B, C, seront élevées des verticales dont la longueur est déterminée par l'altitude de ces points cotés (échelle des hauteurs : 1 / 10 000 par exemple). En joignant le sommet de ces verticales et en tenant compte, dans le détail, des intervalles séparant les courbes de niveau (serrées, elles correspondent à une pente raide, espacées, elles traduisent une pente douce), on trace le profil transversal de la vallée *(fig. 4)*. Il suffit de reporter sur ce profil les couches de roches observées sur le terrain et figurées sur la carte par les couleurs conventionnelles, en conservant les mêmes couleurs, pour transformer le profil en une coupe géologique *(fig. 4)*.

### B. La géologie appliquée.

La connaissance des roches, de leurs propriétés et de leur disposition permet au géologue de donner des avis motivés et de précieux conseils dans de nombreuses circonstances. Rappelons-en quelques-unes.

● L'alimentation des villes en eau potable nécessite le captage d'eaux souterraines. Seul le géologue connaît l'existence des nappes, véritables réserves souterraines, et peut apprécier la qualité des eaux qui sont ainsi rassemblées. Il mettra en garde contre les eaux qui se sont infiltrées au travers de plateaux calcaires fissurés, où la filtration s'est mal faite, et qui peuvent être polluées.

Une étude géologique approfondie de la région doit précéder la construction des

5    Un autre aspect du Jura. On peut aussi y observer la superposition de deux sortes de roches de
part et d'autre de la vallée : marnes boisées, barres calcaires à disposition plus irrégulière, dessinant
des ondulations ou plis.

grands barrages. On a ainsi procédé à Génissiat aussi bien qu'à Mondragon ou à Bort-les-Orgues par exemple. L'effondrement du barrage de Malpasset, en décembre 1959, et ses tragiques conséquences, ont révélé à tous la nécessité et l'importance de l'étude géologique préliminaire à l'implantation des barrages.

● Les ingénieurs des mines doivent connaître la Géologie; ils utilisent constamment les informations des Géologues dans la conduite de l'exploitation des gisements de houille ou des divers minerais.

Les entreprises qui recherchent les gisements de pétrole font constamment appel aux Géologues. La connaissance géologique de la région permet de déterminer les emplacements les plus favorables pour l'implantation des forages.

## 3. Quelques notions sur la structure interne du Globe.

Seule la surface du Globe est accessible aux observations des Géologues. Les puits de mine, les forages pétroliers procurent des informations sur les couches superficielles; les plus profonds ne dépassent guère 5 à 6 km. Or, le rayon terrestre dépasse 6 000 kilomètres. On est donc réduit à des suppositions et à des hypothèses sur la nature, la disposition et les propriétés des parties internes de la Terre. Quelques renseignements sont cependant procurés par divers phénomènes :

### A. Les faits connus.

1. La *température*, sensiblement constante dans les caves, augmente progressivement lorsqu'on s'enfonce sous la terre; on peut l'observer dans les tunnels et les puits de mine. L'augmentation moyenne est de $1^{o}$ pour 33 mètres, $3^{o}$ pour 100 mètres, $30^{o}$ pour 1 km. Un sondage poussé jusqu'à 4 500 m a révélé une température de $135^{o}$ à cette profondeur. On peut ainsi supposer qu'une température voisine de $2 000^{o}$ règne vers 60 ou 70 km de profondeur. A une telle température, les corps solides sont fondus et seraient ainsi à l'état liquide. Nous ne connaissons pas, il est vrai, les *pressions* qui règnent en ces régions; elles sont certainement considérables.

2. *Les volcans* rejettent à la surface des laves plus ou moins fluides dont la température est comprise entre 1 000 et $1 200^{o}$.

6

3. Les ondes produites par les *trembements de terre* se propagent aussi bien et plus vite à travers les parties internes du globe que par les couches superficielles, comme le montrent les études des observatoires séismologiques. Toutes ces observations ont conduit les géologues à formuler diverses hypothèses sur la constitution interne de la Terre ; nous les résumerons de la manière suivante :

**B. Hypothèse en manière de conclusion.**

La Terre serait constituée de couches concentriques :

1. A l'extérieur une couche gazeuse, l'*atmosphère*, est épaisse d'une soixantaine de kilomètres.

2. A la surface, l'ensemble des eaux continentales et océaniques constitue l'*hydrosphère*.

3. Les couches inférieures de l'*atmosphère* et l'ensemble de l'*hydrosphère* sont les zones dans lesquelles croissent et se multiplient les êtres vivants, animaux et végétaux. Il faut y joindre les quelques mètres ou au plus les quelques dizaines de mètres de la surface de l'écorce terrestre. L'ensemble de ces zones où prospèrent les organismes constitue la *biosphère*.

4. L'*écorce terrestre*, encore appelée *croûte*, est relativement mince ; son épaisseur serait de 50 à 70 km ; c'est la *lithosphère* formée par les *roches*, dont les constituants chimiques essentiels sont la silice et l'aluminium ; c'est pourquoi on l'appelle encore *Sial*.

5. La zone des *magmas*, d'où proviennent les laves rejetées par les volcans, fait partie du *manteau* ; il s'étendrait jusqu'à

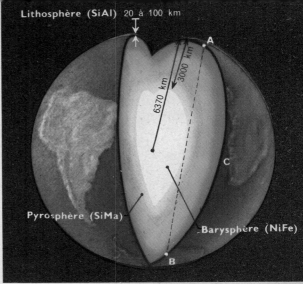

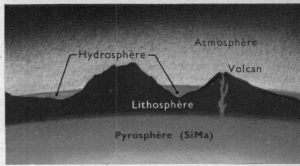

6 et 7 Schéma de la structure du globe terrestre. Schéma de la lithosphère.

une profondeur voisine de 3 000 km, constituant la *pyrosphère* ou sphère de feu ; on l'appelle encore *Sima* parce qu'elle serait essentiellement formée de silice et de magnésium.

6. Enfin le *noyau* et au centre la *graine*, régions très denses, appelées alors *barysphère*, seraient formés surtout de nickel et de fer, ce qui leur a fait donner le nom de *Nife*.

## EXERCICES D'OBSERVATION

### Exercice I.

Examen de la carte géographique (de préférence en courbes et au 1/20 000) de la région que vous habitez. — Relevez les agglomérations, les voies de communication (routes, voies ferrées), l'hydrographie. — Essayez d'en reconnaître l'activité industrielle ou agricole. Etudiez le relief.

### Exercice II.

Exécuter un relevé de profil topographique

suivant les indications données dans la leçon pour le Creux de la Seille. En faire le commentaire.

### Exercice III.

Etudier suivant le même plan une autre région de France. Constater qu'il est possible de déterminer d'après la carte les caractères essentiels de la géographie physique et de l'activité humaine.

▲ 1 Les gorges du Tarn.    A Saint-Chély-du-Tarn, le cirque et la boucle du Tarn. ▲ 2

▼ 3 Quelques fossiles des autres formations calcaires : 1. Trigonie ; 2 et 3. Ammonites ; 4. Rudiste.

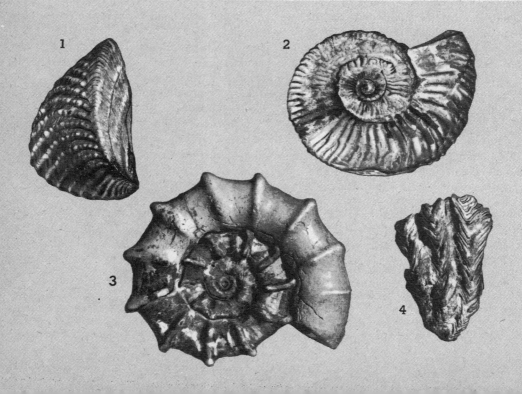

4  Le gouffre de Bramabiau.

# 1  Les roches calcaires

★ Un paysage des Causses. *Le « gouffre de Bramabiau » (fig. 4) sur le Causse Noir nous offre l'aspect typique du paysage des Grands Causses. Une muraille verticale montre nettement la superposition des assises calcaires ; elle domine la gorge d'un torrent qui sort par une fissure de la falaise. Le plateau forme une sorte de table presque horizontale, trouée par endroits (à gauche sur la photo) par une doline. Sur ce plateau la végétation est clairsemée. Dans le fond, les croupes arrondies et boisées de l'Aigoual contrastent avec ce relief tranché et définissent un autre paysage.*

## I. Caractères du calcaire.

### A. Aspect.

Le calcaire est de *couleur assez variable*, tantôt blanc, tantôt gris, tantôt roux.

Il se présente souvent en « *plaquettes* » séparées par de faibles épaisseurs de marnes. Parfois des masses irrégulières prennent une allure ruiniforme : sous ce dernier aspect la roche est de composition chimique différente. On l'appelle dolomie.

Ces deux variétés de calcaires, en pla-

quettes et dolomitiques, sont rayées par la lame du couteau ; le calcaire est une roche assez tendre, moins dure que l'acier.

Avec le marteau on casse facilement un échantillon de calcaire. La dolomie « fume » au marteau et dégage alors une odeur caractéristique assez désagréable.

Le calcaire renferme souvent des fossiles, restes d'animaux contemporains de la formation de la roche. Parmi ces fossiles, les coquilles sont les plus appa-

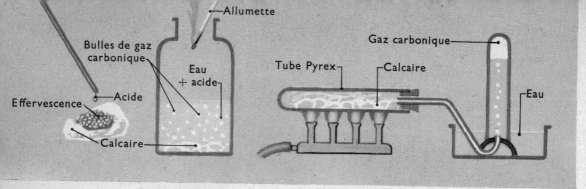

Allumette

Bulles de gaz carbonique

Eau + acide

Effervescence

Acide

Calcaire

Gaz carbonique

Tube Pyrex

Calcaire

Eau

**5** Dans ces deux expériences, le gaz dégagé trouble l'eau de chaux, c'est du gaz carbonique. Le calcaire fait effervescence avec les acides. Il est décomposé par la chaleur.

rentes. Certaines, enroulées comme celles des Nautiles actúels, découpées en loges par des cloisons très plissées, sont appelées *Ammonites*, car elles ressemblent aux cornes du dieu Ammon. D'autres sont des coquilles d'huîtres à crochet recourbé, les *Gryphées*. D'autres enfin, appelées *Brachiopodes*, ressemblent à des Bivalves mais ont une organisation différente que nous étudierons plus tard.

### B. Action d'un acide.

Une goutte d'acide déposée sur un fragment calcaire provoque un dégagement de bulles gazeuses; on dit que *le calcaire fait effervescence avec les acides.*

On peut recueillir le gaz dégagé par un montage approprié. Des fragments de calcaire sont placés dans un flacon à large goulot dont le bouchon soutient deux tubes : l'un permet de verser de l'acide dans le flacon; il peut être muni d'un petit entonnoir et d'un robinet. L'autre, plusieurs fois recourbé, sert à

diriger le gaz dégagé : on l'appelle tube à dégagement. Si on plonge ce tube dans un récipient contenant de l'eau, les bulles de gaz deviendront apparentes. Si on remplace l'eau par de l'eau de chaux, il se produit, en plus, un trouble qui s'accentue. Or l'eau de chaux, nous apprennent les chimistes, ne se trouble qu'en présence de gaz carbonique. Le gaz dégagé par l'action de l'acide sur du calcaire est du gaz carbonique : *le calcaire renferme du gaz carbonique.*

### C. Action de la chaleur.

Plaçons dans un tube Pyrex des fragments de calcaire. Adaptons un tube à dégagement et chauffons. Il est facile de reconnaître le gaz dégagé, qui est du gaz carbonique; comme l'acide, la chaleur sépare le gaz carbonique du calcaire.

Si, au bout d'un certain temps de chauffe à une température voisine de 800°, nous ouvrons le tube, nous trouvons des fragments blancs fendillés d'un produit appelé

**7** Quelques fossiles du calcaire des Causses :
1. Rhynchonelle; 2. Gryphée; 3. Ammonite; 4. Térébratule.

1

2

3

4

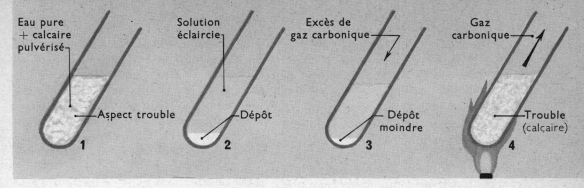

Eau pure + calcaire pulvérisé | Aspect trouble | **1**
Solution éclaircie | Dépôt | **2**
Excès de gaz carbonique | Dépôt moindre | **3**
Gaz carbonique | Trouble (calcaire) | **4**

6  Action de l'eau sur le calcaire.

chaux. L'eau versée sur cette chaux provoque à la fois un bouillonnement et un dégagement de chaleur : aussi l'appelle-t-on *chaux vive*. Au bout de peu de temps le bouillonnement cesse : la chaux vive est devenue de la *chaux éteinte*. La chaux éteinte étendue d'eau donne un liquide blanc opaque appelé *lait de chaux*. Filtré, le lait de chaux donne un liquide limpide comme de l'eau et appelé *eau de chaux*.

Ainsi la chaleur nous a permis de montrer que le calcaire contient du gaz carbonique et de la chaux. Nous avons fait l'*analyse du calcaire* et confirmé qu'il était fait de *carbonate de chaux*.

La dolomie est un carbonate double de chaux et de magnésie.

### D. Action de l'eau.

Les couches calcaires sont souvent fissurées : l'eau de pluie qui rentre dans ces fissures les agrandit à la longue. Le calcaire paraît donc soluble dans l'eau.

Si l'on verse de l'eau sur une plaque calcaire non fissurée, l'eau s'infiltre. Le calcaire se comporte comme une roche poreuse. Mais si cette eau est pure, le calcaire reste intact : il paraît insoluble dans l'eau.

Si dans un mortier on pulvérise un petit échantillon de calcaire et si l'on verse ce calcaire pulvérisé dans un tube contenant de l'eau pure (eau distillée), le calcaire donne d'abord à l'eau un aspect trouble, les particules calcaires restant en suspension dans l'eau. Peu à peu ces particules tombent au fond où

elles forment un dépôt et l'eau s'éclaircit. *Le calcaire est insoluble dans l'eau pure.*

Par contre, si l'on plonge la même quantité de calcaire pulvérisé dans une quantité analogue d'eau renfermant une grande proportion de gaz carbonique (eau de Seltz), le dépôt est moindre : une partie du calcaire s'est dissoute. *L'eau chargée de gaz carbonique dissout le calcaire.* L'eau de pluie est chargée d'une certaine quantité de gaz carbonique : c'est pourquoi elle agrandit les fissures de la roche.

Si l'on fait évaporer le gaz carbonique d'une eau ayant dissous du calcaire, en la chauffant, le calcaire dissous se dépose de nouveau. C'est ce qui se passe dans les grottes. Les gouttelettes d'eau, qui perlent au plafond des grottes et s'écrasent sur le sol, déposent du calcaire.

## 2. Le gisement des Causses.

La région des Causses constitue une vaste étendue calcaire au sud du Massif Central. Elle s'encastre entre les Cévennes cristallines à l'est, la Montagne Noire et le Rouergue cristallin à l'ouest, les plateaux basaltiques de l'Aubrac et les monts de la Margeride au nord.

Ces grands plateaux arides, de 700 à 1 000 m d'altitude, jonchés de cailloux, le plus souvent incultes, ne portent qu'une maigre végétation de chardons, de lavande et de rares buis, avec quelques arbres rabougris, très isolés.

Des cuvettes ou « dolines » renferment une terre rouge argileuse (argile de décalcification), qui permet de retenir une certaine humidité, et sur laquelle les Caussenards cultivent un peu de blé et quelque fourrage pour les brebis.

Le cañon du Tarn, que la route touristique suit fidèlement de Sainte-Enimie à Millau, est enserré par de vertigineuses parois verticales de 400 à 600 m de haut qui reposent sur des assises marneuses (*fig. 1 et 2*). On peut admirer aussi les « planiols », où la rivière coule lentement, les « ratches », où l'eau se précipite. Au Détroit, les calcaires dolomitiques dominent et, quelques kilomètres plus loin, leurs découpures variées composent un paysage ruiniforme dans le site de Montpellier-le-Vieux.

Ce calcaire fissuré se laisse facilement pénétrer par les eaux de pluie. Elles y forment des avens, des grottes, des rivières souterraines.

Les calcaires des Causses reposent au nord de Rodez sur des schistes rouges datant de la fin de l'ère primaire et du début de l'ère secondaire. Cela nous permet de dire que ces dépôts datent du milieu de l'ère secondaire (période jurassique).

## 3. Origine du gisement.

On peut constater que les eaux des rivières et des fleuves apportent à la mer du *calcaire dissous* sous forme de bicarbonate.

Le cours de 5e nous a appris que dans les mers chaudes s'édifient des récifs de coraux, véritables constructions calcaires dues à l'activité d'un nombre immense

de petits animaux, assez semblables à l'hydre d'eau douce et groupés en colonies. Ces polypes assimilent ce bicarbonate de calcium pour édifier les polypiers récifaux. Les Mollusques (Huîtres, Moules) sécrètent leur coquille et les oursins leur test d'une manière analogue. On retrouve ces coquilles fossilisées dans le calcaire des Causses.

Ces observations nous permettent d'imaginer l'origine du gisement des Causses. A l'ère secondaire (début et milieu), la région des Causses était occupée par un golfe s'ouvrant sur une vaste Méditerranée et dans les eaux duquel vivait une faune marine riche et abondante. Dans ce golfe, les rivières et les torrents descendant des reliefs voisins amenaient à la fois de l'argile et du bicarbonate de chaux dissous, que les animaux utilisaient pour fabriquer leurs coquilles. Une vase argilo-calcaire se déposait lentement sur le fond et enrobait peu à peu les coquilles qui subsistaient après la mort des animaux formateurs. On dit que cette roche est d'origine organique.

8  **Carte géologique des Causses.**

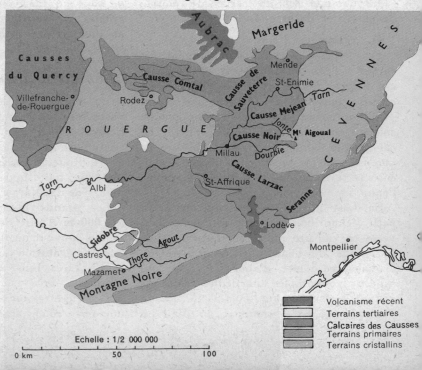

Echelle : 1/2 000 000

0 km       50       100

Volcanisme récent
Terrains tertiaires
Calcaires des Causses
Terrains primaires
Terrains cristallins

# Autres formations calcaires — Les roches calcaires

## 1. Calcaires construits d'origine organique.

### A. Les calcaires coralliens du Jura.

Dans le Jura on peut observer des bancs épais d'un calcaire blanc renfermant des débris de Polypiers, des fragments d'Éponges et de Mollusques.

### B. Les calcaires urgoniens du sud de la France.

Des chaînons montagneux, les Alpilles à l'est d'Arles, la Nerthe au sud de l'étang de Berre, l'Étoile séparant Marseille d'Aix-en-Provence, Carpiagne dans lequel sont creusés des golfes étroits et sinueux, les calanques, la Sainte-Baume enfin à l'est de Marseille, composent le paysage caractéristique de la Provence calcaire.

Il s'agit d'un calcaire dur, compact, dominant de ses falaises blanches et abruptes, vallées, plaines et rivages, appelé *calcaire urgonien* du nom d'une localité, Orgon, dans les Alpilles.

### C. Le calcaire grossier de la région parisienne.

En divers points de la région parisienne affleure un calcaire renfermant des Nummulites, Foraminifères semblables à de petites pièces de monnaie, et des empreintes en forme de pas de vis, qui sont des coquilles de Mollusques gastéropodes, appelées *Cérithes*.

Tous ces calcaires sont formés par l'agglomération de *tests* ou de coquilles calcaires : on les dit *d'origine organique*. Ces animaux, et parfois des végétaux comme les Algues, ont participé activement à leur édification : ils constituent des *calcaires construits*.

## 2. Calcaires d'origine détritique.

### A. Le calcaire lithographique.

Cette roche dure d'un grain très fin, autrefois utilisée pour reproduire des gravures ou des textes d'imprimerie, est le résultat de la consolidation de vases calcaires très fines provenant de la destruction par les vagues des récifs coralliens.

### B. Les calcaires marneux.

De même que dans les argiles on trouve généralement un peu de calcaire, on trouve dans les calcaires, à l'exception des calcaires construits, toujours une certaine quantité d'argile.

9 Les formations calcaires du Jura et le lac de Nantua.

10 Une calanque en Provence dans les calcaires urgoniens.

11  Le Val de Seine et les falaises de craie.        12  Les savarts de la Champagne pouilleuse.

### C. La craie du Bassin de Paris.

Le sous-sol de la Champagne pouilleuse, les falaises normandes du Pays de Caux (Dieppe, Etretat), le sous-sol de la Touraine sont formés par une roche blanche tendre, poreuse et perméable, la *craie*. On la retrouve au centre du Bassin de Paris, sous des couches plus récentes.

La craie renferme de nombreux fossiles (Eponges, Oursins, quelques Ammonites et aussi des Bélemnites, en forme de cigares qui représentent le rostre de coquilles de Céphalopodes géants). Examinée au microscope, la craie révèle, à côté de particules calcaires amorphes, une multitude de corpuscules calcaires, les *coccolithes*.

## 3. Calcaire d'origine chimique.

### A. Le calcaire oolithique de Lorraine et de Normandie.

Les côtes de Moselle, la pierre de Caen et de Bayeux sont faites d'un calcaire constitué par de nombreux petits grains agglomérés et semblables à des œufs de poissons : à cause de ce caractère, ce calcaire a été appelé *calcaire oolithique*.

Chaque petit grain montre au microscope des couches concentriques autour d'un petit fragment de silex ou de calcaire détritique.

On pense que ces dépôts se sont produits au voisinage de récifs de coraux, dans des mers agitées.

En Lorraine, les grains calcaires peuvent être remplacés par des grains ferrugineux. On a alors une *oolithe ferrugineuse*, la « minette » de Lorraine, qui est un *minerai de fer*.

### B. Les calcaires lacustres de Beauce et de Brie.

Nous avons déjà parlé de ces formations à propos de la meulière (p. 30). Il s'agit de dépôts d'eau douce formés dans deux lacs occupant, vers le milieu des temps tertiaires, l'emplacement actuel de la Brie et de la Beauce. Dans ces lacs vivaient des Mollusques gastéropodes, Limnées et Planorbes, dont on retrouve les coquilles fossilisées.

### C. Les calcaires cristallisés.

Dans les grottes se forment des dépôts calcaires, stalactites et stalagmites, constitués par des cristaux.

On appelle calcite le calcaire cristallisé dont une variété transparente est le spath d'Islande à travers lequel les objets sont vus doubles.

Les marbres sont des calcaires durs, plus ou moins cristallisés, utilisés comme pierres d'ornement après polissage. Leur formation nécessite l'intervention de phénomènes que nous étudierons plus loin sous le nom de métamorphisme.

Toutes ces roches calcaires sont produites par précipitation de calcaire dans des eaux contenant du bicarbonate de chaux en dissolution, à la suite de la perte d'une certaine quantité de gaz carbonique soit par évaporation, soit par absorption par des plantes vertes. Ce phénomène que les chimistes peuvent réaliser au laboratoire fait désigner ces calcaires du terme de *calcaires d'origine chimique*.

## 4. Utilisation.

Les calcaires durs constituent des matériaux de construction. Dans la région parisienne, la pierre de taille par excellence est le calcaire grossier. Pour la construction des châteaux de la Loire, la craie tuffeau de Touraine a été utilisée. Le calcaire oolithique, ou pierre de Caen, a servi à l'édification de la plupart des cathédrales normandes, le calcaire corallien des côtes de Meuse, pour celle de Nancy. Le matériau calcaire donne un aspect caractéristique à l'habitat rural.

Les calcaires fins servent à la fabrication de chaux grasses. Avec du sable et de l'eau, la chaux donne du mortier qui sert à cimenter les pierres. Les calcaires légèrement argileux donnent des chaux hydrauliques. Il existe, avons-nous vu aussi, des calcaires à ciment.

---

# EXERCICES

*Exercice I.*

## CARACTÈRES DES ROCHES CALCAIRES

**1.** Comparer plusieurs échantillons de calcaire (par exemple, craie, calcaire grossier, oolithique, coquillier, échantillon de calcite, fragment de stalactite). Noter l'aspect, la couleur, la dureté.
**2.** Vérifier que tous font effervescence.
**3.** Réaliser le montage de l'action de l'acide sur un calcaire. Recueillir le gaz, déterminer sa nature.
**4.** Avec le four Mecker, obtenir de la chaux vive.
**5.** En soufflant faire passer un courant de gaz carbonique dans de l'eau de chaux, noter le trouble puis la précipitation du carbonate de chaux. Ajouter de l'eau de Seltz. Constatation. Explication. Chauffer ce dernier liquide dans un tube à essais. Constatation. Pourquoi?

*Exercice II.*

## ÉTUDE DE FORMATIONS CALCAIRES

Les niveaux calcaires du centre du Bassin de Paris : la craie et le calcaire grossier.
**1.** Décrire des cartes postales montrant un gisement de chacune de ces deux roches.
**2.** Emplacement sur une carte du gisement de chacune d'elles.
**3.** Rechercher une zone ou une coupe qui montre la superposition du calcaire grossier sur la craie.
**4.** Etudier par exemple deux fossiles de la craie (Micraster, Bélemnite) et deux fossiles du calcaire grossier (Cérithe, Nummulite).
**5.** En déduire la définition d'une formation géologique (par la roche constituante et sa faune) et son âge relatif d'après le gisement.

---

# RÉSUMÉ

● *Les calcaires sont des roches compactes, plus ou moins dures, formées par du carbonate de chaux.* Ils font effervescence avec les acides.

● *Ils se présentent en bancs plus ou moins épais, formant généralement des falaises abruptes.*

● *Leur origine peut être variée : organique, détritique, chimique.*

● *Ils correspondent, à tous les âges de l'histoire de la Terre, à d'importantes formations, comme le révèle leur répartition sur la carte de France.*

● *Lacustres ou marins, côtiers ou profonds, formés dans des mers calmes ou agitées, dans des mers chaudes ou des mers froides, correspondant à de nombreux faciès, ils permettent de reconstituer d'importantes phases de l'histoire géologique du sol français.*

▲ 1  Une plage dans les Landes : du sable fin, parfois accumulé en petites dunes.

2  Un exemple de gisement de sables fluviatiles : les bancs de sable dans la Loire moyenne
▼ (région de Meung).

# 2 Le sable et les roches siliceuses

★ UN PAYSAGE DES LANDES. *Au premier plan à droite (fig. 1), en bordure de l'Océan, la côte est plate, faite de sable fin. Plus à l'intérieur, le sable s'accumule en petits tas portant çà et là des touffes d'une plante, l'oyat, dont les longues racines le retiennent sur place. Par endroits, de véritables dunes rompent la monotonie du relief.*

## 1. Caractères du sable.

### A. Aspect et constitution.

Le sable est formé de grains indépendants les uns des autres : il constitue une *roche meuble.* Une pincée de sable examinée à la loupe permet d'observer :

— des grains à contours irréguliers et arrondis, blancs, translucides, durs, formés par un élément déjà étudié à propos du granite, le quartz; qui, nous l'avons vu, raie l'acier;

— quelques paillettes de mica, des granules d'oxyde de fer, des débris de coquilles calcaires sur les plages.

Les grains de quartz forment au moins 75 % de la masse totale du sable : on dit que le sable est une *roche siliceuse.*

### B. Action de l'eau.

*a)* La pluie s'infiltre rapidement dans le sable. De l'eau versée sur du sable placé dans un entonnoir au-dessus d'un verre s'infiltre de la même manière. Si la quantité d'eau utilisée est assez grande, l'eau traverse tout le sable et tombe dans le verre. *Le sable est une roche perméable.*

*b)* Si l'eau utilisée est une eau boueuse, celle qui tombe dans le verre apparaît claire, à la condition que la couche de sable soit suffisamment épaisse; l'eau a été filtrée. *Le sable est une roche filtrante.*

*c)* Des grains de sable placés au fond d'un verre d'eau ne changent pas de volume. Ils ne se dissolvent pas comme le feraient des cristaux de sel ou de sucre. *Le sable est insoluble dans l'eau.*

### C. Action d'un acide.

Une goutte d'acide chlorhydrique déposée sur une pincée de sable qui ne contient pas de débris de coquilles ne produit aucune action. Seuls les débris de coquilles peuvent faire effervescence avec l'acide.

### D. Action de la chaleur.

Plaçons un peu de sable dans un creuset — petit récipient en terre réfractaire — et le creuset dans un four Mecker. Le sable n'est pas altéré par la chaleur : c'est *une roche inattaquable par la chaleur.*

Mais si l'on ajoute au sable un mélange de poudres blanches — *carbonates de soude et de chaux* — après un quart d'heure de chauffe environ, on obtient une véritable fusion. Le mélange chauffé a donné une matière blanchâtre qui, coulée et refroidie, devient du *verre.* La silice des grains de sable et les carbonates se sont étroitement associés — se sont combinés, disent les chimistes — et ont donné des silicates de soude et de chaux constituant le verre.

## 2. Le gisement des Landes.

Le sable des Landes recouvre une surface triangulaire de plus de 800 000 hectares qui s'étend, du nord au sud, de la Pointe de Grave à l'Adour, et de la côte atlantique jusqu'à l'ouest d'Agen (*fig. 3*). Immense étendue sableuse, sans relief, autrefois inculte, ou ne portant qu'une maigre lande, elle présente aujourd'hui une des plus belles forêts de France dont l'espèce dominante est le Pin maritime.

La côte, rectiligne sur près de 200 km

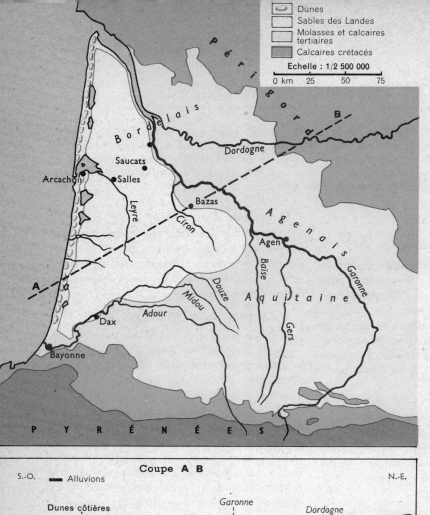

◀ **3 Carte géologique et coupe des Landes.**

Echelle : 1/2 500 000

0 km    25    50    75

**Coupe A B**

S.-O. ▬ Alluvions                                                    N.-E.

Dunes côtières
Etang          Bazas      Garonne      Dordogne

dure et imperméable, l'*alios*, formée par cimentation des grains de sable; cette roche dure est un *grès*.

On peut aussi observer, par endroits, des lentilles ferrugineuses, les « garluches ».

Au sud des Landes, ce sable recouvre les formations du Tertiaire inférieur du sud de l'Adour; il repose à l'est et au nord-est sur les calcaires et molasses de l'Aquitaine, d'âge tertiaire aussi. La superposition de la formation landaise à des dépôts datant du Tertiaire supérieur peut s'observer à Bazas, Saucats, Salles. *Le sable des Landes est donc un dépôt très récent, d'âge quaternaire.*

## 3. Origine du gisement.

Rappelons quelques observations :

● Nous verrons (p. 48) que sous l'influence des eaux de pluie le feldspath du granite se décompose, libérant ainsi grains de quartz et paillettes de mica, que nous observerons dans l'arène granitique.

● Le lit d'un cours d'eau est encombré de matériaux de tailles diverses, cailloux, graviers, d'autant plus fins que nous examinons la partie inférieure de la rivière.

● Donc, dans le lit d'un cours d'eau, les matériaux s'usent et deviennent de plus en plus fins, de la source à l'embouchure ou au confluent.

● Le sable tombe au fond du lit du cours

et ne comportant, comme échancrure profonde, que le Bassin d'Arcachon, est frangée, sur 8 km de large, d'alignements de dunes dont certaines dépassent 100 m de haut (dune du Pilat). Au pied de ces dunes, vers l'intérieur, on observe des étangs (Hourtin, Lacanau, Cazaux, Hossegor). L'absence de pente rend l'écoulement des eaux difficile. Pour le faciliter on creuse des fossés, ou crastes, dans lesquels l'eau s'accumule après avoir filtré à travers le sable.

Le creusement de ces fossés a révélé, à 1 m de profondeur, la présence d'une roche

d'eau lorsque le courant est trop faible. De même, du sable versé dans un bocal rempli d'eau tombe au fond. Mais si l'on imprime à l'eau une agitation suffisante, les grains sont soulevés et peuvent se maintenir en suspension. Ils retombent lorsque l'agitation diminue ou cesse.

Le sable résulte donc de la destruction des roches granitiques. Ses éléments constituants sont usés pendant le transport, par les cours d'eau notamment. Le dépôt, ou sédimentation, se produit lorsque la vitesse de l'eau n'est plus suffisante. *Le sable est une roche sédimentaire, d'origine détritique.*

La formation du sable des Landes s'explique facilement. *Les massifs granitiques pyrénéens* ont fourni les grains de quartz. *Des cours d'eau* descendant des Pyrénées se jetaient dans un grand golfe situé entre la Garonne et l'Adour et l'ont ensablé, mais le vent a participé également à l'étalement superficiel.

Les dunes appellent aussi, pour se construire, *l'intervention du vent.* Elles se sont formées après le dépôt du sable landais. Cette action du vent a pu être constatée encore récemment puisque les dunes ont progressé régulièrement jusqu'au début du XIXe siècle; à cette époque *Brémontier* s'est aperçu qu'on pouvait les fixer par des plantations appropriées, Oyats d'abord, Pins ensuite. Ce boisement, complété par le creusement des crastes préconisé par Chambrelent en 1850, a complètement modifié l'aspect du paysage et les conditions de vie des habitants de la région.

*La forêt des Landes traduit à la fois une conquête et une œuvre humaines.*

## 4. Autres formations sableuses.

### A. Formations actuelles.

On trouve des accumulations de sable en de nombreux endroits :

*a) Dans le lit des cours d'eau :* les *sables fluviatiles.* Ils forment des plages et des bancs, surtout abondants dans le cours inférieur et particulièrement visibles en période de basses eaux (lit de la Loire, *fig. 2*). Les grains souvent anguleux ont des dimensions très variables.

*b) Sur le bord de la mer :* les *sables marins.* Ils proviennent généralement de la destruction d'une falaise granitique, destruction qui aboutit à la libération des grains de quartz. Ceux-ci, repris, usés par l'action prolongée des vagues et des marées, ont fini par se déposer.

En réalité, les plus belles plages de l'Atlantique (Les Sables-d'Olonne, La Baule, etc.) comportent à la fois des sables apportés par les fleuves (Loire) et des sables provenant de l'érosion marine. Les coquilles que l'on y ramasse appartiennent à des animaux actuels : nous avons là un exemple de formation géologique actuelle.

*c)* Dans *les régions désertiques,* le Sahara

4  Carte des formations siliceuses de la région parisienne, et coupe.

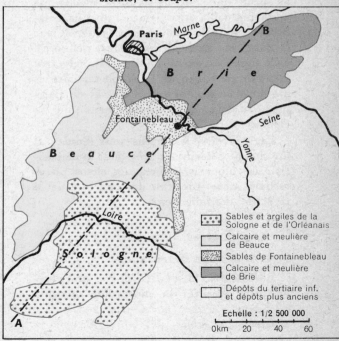

Sables et argiles de la Sologne et de l'Orléanais

Calcaire et meulière de Beauce

Sables de Fontainebleau

Calcaire et meulière de Brie

Dépôts du tertiaire inf. et dépôts plus anciens

Echelle : 1/2 500 000

0km    20    40    60

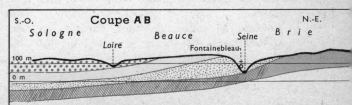

notamment. L'erg ou *désert de sable* est constitué par d'énormes accumulations formant souvent des dunes enchevêtrées. Dans ces pays arides, on ne saurait invoquer l'action de l'eau de pluie pour expliquer l'origine de ces dépôts. Les variations de température considérables entre le jour et la nuit font éclater les roches. Les débris soulevés par le vent, qui exerce toute sa force dans ces régions, sont usés; ils prennent une forme arrondie, un aspect dépoli et leur remaniement perpétuel provoque des dépôts disposés en couches ou strates irrégulières entrecroisées. Ces sables constituent des *sables éoliens* (de « Eole », le dieu du Vent).

### B. Formations anciennes.

Le sous-sol de la forêt de Fontainebleau est constitué par un sable blanc très pur. On y trouve des coquillages marins, d'âge tertiaire, à la base dans la région d'Etampes.

Par analogie avec les formations actuelles on peut imaginer le paysage géologique auquel ce sable était associé : une plage sableuse, dont le sable était soulevé par le vent et accumulé en dunes côtières. Cela suppose l'existence d'une Manche très étendue au milieu de l'époque tertiaire et mordant largement sur le Bassin de Paris jusqu'au-delà de l'emplacement de la capitale.

Par endroits, les grains sont réunis par un ciment siliceux en grès dont la disposition en blocs irréguliers, en chaos pittoresques, constitue l'un des charmes de la forêt de Fontainebleau.

## 5. Les roches siliceuses.

### A. D'origine détritique.

1. *ROCHES MEUBLES.* Sur une *plage* on peut observer la succession suivante de dépôts : des *blocs*, des *galets*, des *graviers*, des *sables*, des *boues*. Ces matériaux de plus en plus fins sont dits calibrés.

Comme le sable, ils sont formés en majeure partie de silice : ce sont donc des *roches siliceuses*.

Ils proviennent généralement de la destruction de massifs granitiques voisins : ce sont donc, eux aussi, des *roches détritiques*.

Ils sont faits d'éléments séparés, plus facilement perméables encore que le sable : ce sont des *roches meubles*.

Un exemple de telles formations nous est fourni en France par la *Crau*, immense champ de pierres (comportant cailloux roulés et graviers) et s'étendant à l'est du Rhône jusqu'à l'étang de Berre.

C'est un vaste cône de déjection torrentiel édifié par la Durance lorsque au début de l'ère quaternaire elle se jetait directement dans la Méditerranée.

A une faible profondeur ces différents éléments sont cimentés et constituent un *poudingue*. Le poudingue est déjà une roche compacte ou cohérente.

2. *ROCHES COMPACTES.* Les roches compactes ou cohérentes sont formées par des éléments de roches meubles soudés par un ciment.

*a)* Le *poudingue* en est le premier type. Il est formé par la *cimentation de cailloux arrondis*.

Par analogie avec les observations faites actuellement sur le bord de la mer, certains *poudingues indiquent une ancienne ligne de rivage*.

*b)* Dans une *brèche*, les cailloux constituants ont conservé leur contour anguleux. Il n'y a pas eu usure des matériaux initiaux, mais simple cimentation sur place des produits résultant de la destruction d'une falaise.

*c)* Les *grès* (dont nous avons vu un exemple dans l'alios des Landes) constituent le groupe le plus important des roches cohérentes siliceuses. Nous en examinerons deux exemples : les grès des Vosges et les mollasses de l'Aquitaine.

● *Les grès des Vosges :* Enveloppant au nord, à l'ouest et au sud le massif ancien des Vosges cristallines, ils constituent dans les *Vosges gréseuses* l'un des affleurements de grès les plus importants de France. Ils

5  Un paysage sur sol siliceux : la forêt de Fontainebleau.

sont formés par un grès à ciment siliceux renfermant de minuscules paillettes d'oxydes de fer : d'où leur appellation de grès roses ou grès bigarrés. L'érosion les a découpés en rochers plus ou moins escarpés portant les vieux châteaux de la région. Cette pierre dure a permis la construction de beaucoup d'édifices et de monuments d'Alsace, notamment la cathédrale de Strasbourg.

Les grès des Vosges, qui peuvent donner lieu à des reliefs importants et variés, sont responsables, comme ceux de la forêt de Fontainebleau, du pittoresque de la région.

● *Les mollasses de l'Aquitaine :* on appelle *mollasse* une variété de grès à ciment calcaire qui fait effervescence avec les acides et qui couvre de grandes étendues dans le Bassin d'Aquitaine.

## B. D'origine organique.

Certains organismes : radiolaires, spicules d'éponges, coques de diatomées (algues microscopiques), peuvent, par accumulation et cimentation de leurs débris siliceux, former de véritables roches siliceuses d'origine organique, puisque des êtres vivants sont à l'origine de leur formation.

## C. D'origine chimique.

*1. LES SILEX.* Les silex sont des pierres dures, grises, de forme très variée, plus ou moins arrondie et mamelonnée, d'où le nom de « *rognon* » qui a été utilisé pour les désigner. Ils sont entourés d'une couche blanchâtre, la *patine.* Leur cassure est irrégulière. Examiné au microscope, un fragment de silex révèle les traces d'organismes unicellulaires à squelette siliceux englobés dans un ciment siliceux très abondant.

Les silex se trouvent dans des couches de craie. Les falaises crayeuses de Normandie, par exemple, montrent de nombreux alignements parallèles de lits de silex. Les rognons de silex sont souvent libérés par l'érosion et par la dissolution de la craie.

Deux morceaux de silex frottés l'un contre l'autre donnent une étincelle : le silex est appelé « pierre à feu ». L'homme les a utilisés aussi pour fabriquer ses premiers outils.

L'origine des silex est très discutée. On pense que la silice qui les constitue provient de spicules d'éponges et de squelettes de radiolaires. Cette silice, par dissolution, puis précipitation, se serait concentrée par endroits en rognons dans la masse crayeuse. Mais on ignore le mécanisme de cette transformation.

6 Un rognon de silex avec sa patine blanche.

7 Microphotographies d'organismes siliceux.

**2. LA MEULIÈRE.** La meulière forme le sous-sol de deux régions très importantes du Bassin de Paris : la Beauce et la Brie. Le plus souvent la meulière est caverneuse. Elle est formée de silice et de calcaire. La silice lui confère une grande dureté. C'est la dissolution partielle du calcaire qui provoque la formation des cavernes. Parfois la meulière est compacte. Elle était recherchée pour la confection des meules de moulin, ce qui lui a donné son nom.

## 6. Utilisation.

Le sable riche en silice sert à la fabrication du verre. Mélangé à de la chaux, il entre dans la composition du mortier.

Les grès servent au pavage des rues, et en raison de leur dureté constituent d'excellentes pierres de construction, ainsi que la meulière.

## EXERCICES D'OBSERVATION

### Exercice I.
#### CARACTÈRES GÉNÉRAUX DES ROCHES SILICEUSES

**1.** Examiner à la loupe binoculaire divers échantillons de sable : fin, grossier, marin, désertique. Déterminer, pour chacun d'eux, la forme des grains de quartz et leur pourcentage par rapport aux autres constituants (débris de coquilles, paillettes de mica, etc.).
**2.** Examiner une lame mince de grès, reconnaître grains de quartz et ciment.
**3.** Réaliser le montage mettant en 'évidence la perméabilité du sable.
**4.** Réaliser le montage mettant en évidence l'action de la chaleur sur un mélange de sable et de carbonate de soude et de chaux en utilisant un four Mecker (par exemple). Observation du verre obtenu à la loupe binoculaire.
**5.** Vérifier l'action de l'acide.
**6.** Etudier divers échantillons de roches siliceuses : grès divers, poudingue, silex.

### Exercice II.
#### ÉTUDE D'UN GISEMENT LOCAL DE ROCHES SILICEUSES

**1.** Recueillir et décrire les roches qui le constituent.
**2.** Placer le gisement sur une carte géographique. Illustrer au moyen de cartes postales ou photographies.
**3.** Explication de l'origine du gisement.

## RÉSUMÉ

● *1. Les roches siliceuses, essentiellement formées de silice, sont toutes d'une grande dureté. L'acide n'a sur elles aucune action.*

● *2. Ce sont des roches sédimentaires surtout d'origine détritique; certaines cependant sont d'origine organique ou chimique. Elles peuvent être meubles (comme le sable), consolidées (comme le grès), en rognons (silex ou meulière).*

● *3. Les sables constituent des régions plates, parfois accidentées de dunes. Les bancs de grès donnent des reliefs plus importants.*
*Les sols sableux secs conviennent aux forêts.*

1 Un paysage de Sologne.

# 3 L'argile et les roches argileuses

★ Un paysage de Sologne. *La Sologne est la région qui s'étend au sud d'Orléans dans la grande boucle de la Loire.*

*La fig. 1 montre une contrée plate, marécageuse. La végétation comprend des forêts de bouleaux et de hêtres, des prairies faites d'une herbe maigre. Les étangs sont encombrés de plantes aquatiques.*

*La présence des étangs indique un sol imperméable. Celui-ci est constitué par de la « terre de Sologne », c'est-à-dire essentiellement par de l'argile.*

## I. Caractères de l'argile.

### A. Aspect et constitution.

La « terre de Sologne » est *grise; desséchée*, c'est une *roche compacte*, mais *friable, tendre, rayable à l'ongle*.

Elle est formée essentiellement de fines parcelles de *silicates d'alumine hydratés*, c'est-à-dire de substances résultant de l'union de silice, d'alumine (oxyde d'aluminium) et d'eau. Ces silicates sont les constituants fondamentaux de l'argile.

### B. Action de l'eau.

*a)* Un sol argileux présente *en période de sécheresse un aspect craquelé*.

*b) Détrempé*, un sol argileux donne une *boue glissante* qui colle aux chaussures lorsqu'on marche dessus.

Si l'on malaxe un échantillon d'argile avec de l'eau, il se ramollit et peut être modelé. L'argile est donc une *roche plastique;* elle peut servir à la fabrication de pâte à modeler.

*c)* La terre de Sologne supporte, avons-nous vu, de nombreux étangs.

Plaçons une poignée d'argile dans un entonnoir de verre, versons dessus une petite quantité d'eau. L'argile se ramollit et gonfle; mais l'eau reste à la surface; elle ne s'écoule pas. L'argile est donc une roche *avide d'eau* et *imperméable*.

2 L'argile, en se desséchant, se fendille.

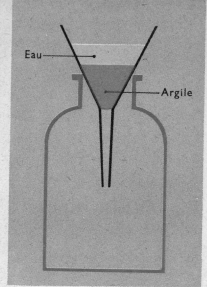

Eau

Argile

3 L'argile est imperméable.

Cette avidité pour l'eau permet aussi de comprendre pourquoi l'*argile sèche happe à la langue.*

Son imperméabilité explique que les pays argileux, comme la Sologne, soient marécageux.

*L'hiver,* l'argile gorgée d'eau peut geler et gonfler, les particules se trouvant écartées les unes des autres par des cristaux de glace. Au dégel, ces particules restent séparées. Le *sol argileux* ainsi *s'ameublit* et devient plus facile à travailler.

Après de fortes pluies, une couche argileuse en pente, gorgée d'eau, peut glisser et entraîner les terrains qui la surmontent. C'est là l'origine d'*éboulements parfois catastrophiques.*

*d)* L'eau d'une rivière en période de crue est trouble, elle charrie une boue argileuse.

Réduisons un échantillon d'argile sèche en fines parcelles. Plaçons celles-ci dans un bocal contenant de l'eau. Agitons. Nous constatons un aspect trouble dû à la suspension des parcelles dans l'eau. Si nous laissons reposer, l'eau s'éclaircit de plus en plus à la surface, tandis qu'une boue se dépose au fond du bocal. *L'argile est donc insoluble dans l'eau;* elle se dépose lentement lorsque l'eau est calme. Ce dépôt est aussi appelé *sédiment.*

Sur le rivage, *par mer agitée,* on observe souvent une zone boueuse séparée par une ligne nette de la mer bleue : cette ligne est appelée *ligne de boue.* La boue a été apportée surtout par les cours d'eau. Si la boue n'est plus apparente à une certaine distance de la côte, ce n'est pas parce qu'elle y est moins abondante ou parce que la mer y est moins agitée, mais plutôt parce que l'eau salée facilite le dépôt de la boue. En effet réalisons l'expérience précédente avec de l'eau salée, contenant, comme l'eau de la mer, 35 g de sel par litre d'eau. Nous voyons que la précipitation est plus rapide : *l'eau de mer accélère le dépôt de boue argileuse.*

### C. Action d'un acide.

Une goutte d'acide déposée sur un échantillon d'argile ne produit aucune effervescence.

### D. Action de la chaleur.

Un foyer allumé sur un sol argileux rend le sol rougeâtre, dur, cassant, fissuré, un peu comme de la brique.

Modelons un objet en argile et plaçons-le dans le four Mecker. Retirons-le au bout d'un quart d'heure environ et après chauffage maximum. Il est devenu dur, compact et fissuré. *L'argile durcit à la cuisson,* mais a *tendance à se craqueler.*

## 2. Le gisement argileux de Sologne.

La Sologne s'étend, d'ouest en est, de Blois à Gien sur 90 km; du sud au nord, de Vierzon à Orléans (75 km). Elle est traversée par la route nationale 20 et par la voie ferrée Toulouse-Paris (*fig. 4*).

Ce pays plat est parcouru par de nombreux ruisseaux à cours indécis, par suite du manque de pente. Trois rivières, plus importantes, le traversent d'est en ouest : le Cosson, le Beuvron, la Sauldre, affluent du Cher. Les étangs sont nombreux entre le Beuvron et la Sauldre.

Le paysage végétal comprend, outre les forêts de bouleaux et de hêtres déjà mentionnées, des forêts de chênes et de charmes, des plantations de pins, des sous-bois de bruyères, d'ajoncs et de genêts, abritant un gibier abondant, d'immenses landes d'ajoncs et de bruyères et, le long des cours d'eau, des prairies dont il faut assurer le drainage pour éviter une humidité excessive.

## 3. Origine du gisement.

Nous verrons (p. 48) que les eaux de pluie décomposent le feldspath du granite et le transforment en silicate d'alumine, c'est-à-dire en argile.

Si la pente d'une rivière est assez forte, les grains de quartz, les paillettes de mica et les parcelles d'argile sont entraînés. La vitesse diminuant, les sables plus lourds se déposent les premiers, les particules d'argile plus légères ensuite.

Comme le sable, *l'argile est donc une roche sédimentaire d'origine détritique.*

La terre de Sologne correspond à une formation de quelques mètres d'épaisseur seulement. Elle repose au sud-est, au sud et au sud-ouest sur la craie de Touraine, qui date de la fin de l'ère secondaire. Au nord-ouest, dans la région de Blois, elle se superpose à des formations lacustres (marnes et calcaires) déposées au milieu de l'époque tertiaire. Au nord d'Orléans elle est recouverte par des alluvions plus récentes de la Loire. Cette disposition nous indique l'âge de « la terre de So-

logne ». Elle est postérieure à la craie de Touraine et aux marnes et calcaires lacustres de la région de Blois, antérieure par contre aux alluvions quaternaires de la Loire.

En effet, vers la fin des temps tertiaires, la Sologne était une vaste cuvette inclinée légèrement vers le nord et traversée par de nombreuses rivières descendant du Massif Central. Ces rivières charriaient les divers produits de décomposition des roches éruptives (granite surtout) de ce massif et ont déposé, suivant la pente, soit des sables, soit l'argile que nous venons d'étudier.

## 4. Autres formations argileuses.

### A. Dans la Woëvre.

La Woëvre est une région plate, large de 25 à 30 km et qui s'étend entre les deux formations calcaires des côtes de Moselle et des Hauts de Meuse.

### B. Dans la région parisienne.

On exploitait autrefois à Vaugirard et actuellement on retire en divers endroits de la banlieue parisienne *l'argile plastique* facile à modeler, appelée aussi terre glaise. Ce dépôt renferme parfois des fossiles,

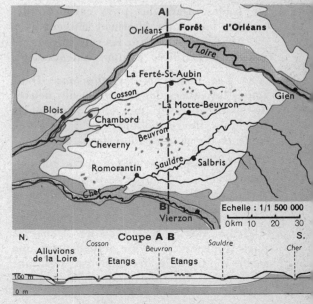

4   Carte géologique et coupe de la Sologne.

planorbes, limnées, anodontes, dont les représentants actuels vivent dans les eaux douces. Cette formation, assez comparable à celle de la Sologne, s'est déposée dans des lacs ou étangs qui occupaient la région parisienne, au début de l'ère tertiaire. Cette argile repose en effet sur la craie datant de la fin de l'ère secondaire. Elle est recouverte de roches perméables, sables et calcaires, plus récents. Elle arrête l'infiltration de l'eau, comme l'argile de surface en occasionne la stagnation ; elle détermine, par conséquent, la formation, au-dessus d'elle, d'une *nappe aquifère*.

## 5. Autres roches argileuses.

### A. Roches tendres.

*a) Le kaolin de Saint-Yrieix* (Haute-Vienne). Dans les environs de Limoges on trouve une variété d'argile blanche très pure, *le kaolin*. Cette argile sert à la fabrication de la porcelaine de Limoges.

*b) La marne.* C'est une roche tendre constituée par un mélange d'argile et de calcaire, en proportions d'ailleurs très variables. Cette roche fait effervescence avec les acides. Dans les pays calcaires, des couches marneuses alternent souvent avec des bancs calcaires. Sur les sols siliceux, la marne est utilisée comme amendement.

*c) Les limons et les alluvions.* Dans toutes les vallées des rivières et des fleuves on peut observer un dépôt peu épais (quelques mètres) d'alluvions formées de sable et de vases argilo-calcaires.

*d) Le lœss.* C'est une terre argilo-calcaire, légère, qui couvre de très vastes surfaces, notamment en Picardie et dans la région parisienne.

*e) La latérite et la bauxite.* Dans les pays tropicaux se forme actuellement une roche rouge, dure, ferrugineuse, résultant de la transformation d'une argile. C'est la latérite.

### B. Roches durcies et feuilletées : schistes et ardoises.

Les schistes sont des roches cohérentes, d'aspect feuilleté. Comme l'argile, ils sont formés de silicates d'alumine hydratés. Lorsque les schistes peuvent se débiter en grandes lames régulières, on les appelle *schistes ardoisiers* ou *ardoises*.

Les schistes contiennent souvent des fossiles qui paraissent avoir été écrasés.

Les schistes et les ardoises s'observent dans les régions de France où des plissements énergiques ont formé des chaînes de montagnes. Les schistes ardoisiers sont fréquents en maintes régions du massif armoricain (Trélazé près d'Angers) et dans les Ardennes (ardoises violettes de Fumay).

La formation de schistes semble due à l'action sur les argiles de fortes pressions qui ont été à l'origine des plissements.

## 6. Utilisation.

● *La porcelaine et la céramique.* Les usines de porcelaine de Limoges et la manufacture de Sèvres utilisent le kaolin. La fabrication comprend plusieurs étapes :

— on confectionne d'abord une pâte à laquelle on ajoute une bouillie de quartz et de feldspath pour éviter le retrait à la cuisson ;

— l'objet est ensuite moulé ;

— il est cuit à 1 000 degrés, ce qui donne une porcelaine poreuse ;

— à ce moment vient la décoration de l'objet puis sa glaçure ;

— enfin il subit une deuxième cuisson à 1 400 degrés.

Les argiles moins pures sont utilisées pour la fabrication des *poteries communes* et d'objets en *faïence*.

● *Les matériaux de construction :* Les ardoises servent à faire des revêtements de toitures. Les *argiles* cuites permettent d'obtenir des *tuiles* d'aspect plus riant et des *briques*, très utilisées, dans le Midi de la France. Les marnes cuites permettent, suivant leur teneur en argile, d'obtenir soit des chaux aériennes, soit du ciment.

5 L'exploitation d'une mine
   d'ardoise.

## EXERCICES D'OBSERVATION

**1.** Observer divers échantillons d'argile : kaolin, argiles compactes, etc.

**2.** Réaliser quelques expériences relatives à l'action de l'eau :
— malaxée dans de l'eau, l'argile devient malléable;
— séchée, elle présente des fentes de retrait. Vérifier son imperméabilité.

Préparer une eau boueuse en y délayant des fragments d'argile. En verser une partie dans de l'eau pure, une autre partie dans de l'eau salée; vérifier la précipitation plus rapide dans l'eau salée.

**3.** Modeler un objet en argile plastique et le cuire au four Mecker. Constatations?

**4.** Comparer la cassure d'un objet en porcelaine avec celle d'un objet en faïence. Peser une brique avant et après un séjour de 24 heures dans l'eau. Constatations?

**5.** Observer la schistosité et éprouver la dureté d'un schiste et d'une ardoise.

**6.** Etude, si possible, d'un gisement local d'argile ou de schiste.

## RÉSUMÉ

*L'argile plastique, la marne, le schiste, l'ardoise présentent les caractères communs suivants :*

● *1. Ces roches, douces au toucher, sont tendres et rayées par l'ongle.*

● *2. Quand elles sont sèches, elles happent à la langue.*

● *3. Elles sont imperméables.*

● *4. Les unes, comme l'argile plastique et la marne, sont des roches molles et compactes; d'autres, comme le schiste et l'ardoise, sont des roches durcies et feuilletées; elles ont une structure schisteuse.*

● *5. Toutes sont essentiellement formées de silicates d'alumine.*
*Ces roches forment le groupe des ROCHES ARGILEUSES.*

◄ **1** Vue générale des marais salants à Bourg-de-Batz.

▲ **2** Un tas de sel au bord d'un marais salant à Bourg-de-Batz. Avec un large râteau de bois sans dents, les « paludiers » ramènent le sel de l'intérieur de chaque bassin, quand l'eau s'en est presque évaporée, jusqu'au bord, où peu à peu le tas grandit. Ce sel est mêlé d'impuretés.

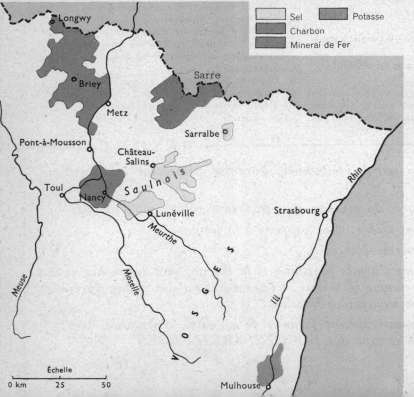

Sel  Potasse
Charbon
Minerai de Fer

Longwy

Briey

Sarre

Metz

Sarralbe

Pont-à-Mousson

Château-Salins

Saulnois

Toul

Nancy

Lunéville

Strasbourg

Rhin

Meurthe

Meuse

Moselle

V O S G E S

Ill

◄ **3** Carte de la région salifère de Lorraine.

Échelle
0 km    25    50

Mulhouse

# 4 Le sel marin et les roches salines

★ *Cette photographie (fig. 1) nous montre l'ensemble des marais salants de Bourg-de-Batz sur la côte atlantique.*

*Nous y observons une disposition en damier de bassins rectangulaires séparés les uns des autres par des levées d'argile. Sur le fond de ces bassins se forme un dépôt grisâtre que l'on racle et que l'on rassemble en tas visibles au premier plan. Ce dépôt a un goût salé. Il est constitué par du sel marin.*

## 1. Caractères.

### A. Aspect et constitution.

Recueilli dans des marais salants, le sel a un aspect grisâtre; il est associé à des vases argileuses; il est impur. Débarrassé de ses impuretés, il devient blanc, constitué par une substance désignée sous le nom de « chlorure de sodium », qui est un sel parmi beaucoup d'autres, c'est le *sel de cuisine* ou plus simplement *le sel*. Vu à la loupe ou au microscope, il apparaît formé de cristaux cubiques qui peuvent se grouper en amas réguliers, les trémies. C'est une roche tendre, rayée par l'ongle. Sa saveur salée permet de le reconnaître aisément.

### B. Action de l'eau.

Sur le bord de certaines lagunes marines, atlantiques ou méditerranéennes, pendant la saison sèche et chaude de l'été, on observe des dépôts de sel comme dans les marais salants. Le sel se dépose par évaporation de l'eau de mer.

Des cristaux de sel plongés dans l'eau se dissolvent. Un litre d'eau douce peut dissoudre 350 g de sel : elle est alors saturée.

### C. Action de la chaleur.

L'atmosphère étant toujours plus ou moins humide, le sel contient toujours une certaine quantité d'eau. Chauffé, il crépite et se désagrège. De la vapeur d'eau se dégage et peut se condenser sur la paroi froide du tube dans lequel on fait l'expérience. Chauffé à 120° et comprimé au moyen d'une presse à 300 kg/cm², il peut donner des fils de sel, véritable matière plastique.

### D. Action de l'acide.

Il ne fait pas effervescence avec un acide.

## 2. Les gisements de sel.

### A. Gisements actuels.

1. *Les marais salants.* On peut en observer le long des côtes de Provence, du Languedoc, ainsi que sur la côte atlantique au sud de la baie du Morbihan. Il s'agit partout de côtes basses, de régions à étés chauds et secs où des vents forts peuvent accélérer l'évaporation. Certaines de ces *salines* sont restées très prospères jusqu'au XVIIe siècle; des navires en provenance d'Angleterre et de Hollande venaient y chercher d'énormes quantités de sel pour préparer le poisson. Depuis cette époque, les salines atlantiques ont connu une décadence progressive; aujourd'hui elles paraissent condamnées.

2. *Les chotts.* Dans le sud de l'Algérie et de la Tunisie se trouvent des dépressions sans écoulement et dans lesquelles s'accumulent, à la saison des pluies, les eaux apportées par les rivières temporaires de ces régions désertiques. Les eaux des chotts sont salées. Le sel provient du « lessivage » des terrains avoisinants. Sous le climat chaud et sec qui règne dans ces pays, les eaux des chotts s'évaporent et il se forme des croûtes de sel *(fig. 4)*.

### B. Gisements anciens.

1. *Le sel gemme de Lorraine.* Il existe en Lorraine, au pied des côtes calcaires de Moselle, un pays plat, parsemé d'étangs, appelé « Saulnois » parce que son sous-sol a révélé, sous une couche de marnes bariolées, un important gisement de sel. Ce sel gemme se trouve à une profondeur moyenne de 65 m. De multiples sondages pratiqués à la suite de la découverte du gisement ont permis d'en préciser l'emplacement.

4 Un « chott » : le chott Chergui.

le-Saunier, fournissent 40 000 tonnes annuelles.

Dans les Pyrénées, diverses localités : Salies-du-Salat, Salies-de-Béarn, possèdent des sources d'une eau très salée (jusqu'à 240 g par litre), utilisée dans le traitement de certaines maladies.

Dans la région de Mulhouse on a observé de véritables monticules ou dômes de sel se prolongeant par des colonnes qui ont soulevé les roches encaissantes. Pour expliquer un tel gisement qui semble anormal, on fait intervenir l'action de la chaleur et de la pression ; sous cette action combinée le sel, devenu plastique, a été injecté dans les roches encaissantes.

### 3. Origine.

L'examen d'un marais salant (sel marin) nous fournit une explication : le sel est déposé à la suite de l'évaporation de l'eau de mer. Cette dernière, chauffée et évaporée, laisse dans le bassin un dépôt salin.

L'étude du gisement du Saulnois (sel gemme), qui date du début de l'ère secondaire, permet de penser qu'à cette époque la région était parsemée de lagunes ou de chotts analogues à ceux que l'on observe actuellement dans le Sud algérien.

Le sel est un produit d'évaporation de l'eau salée : c'est une roche d'origine chimique.

### 4. Extraction et utilisation.

Dans les marais salants, l'exploitant, le paludier, enlève la couche de sel avec un râteau sans dents et le met en tas sur le bord de la saline. On le traite ensuite à l'usine pour le débarrasser de ses impuretés.

Dans les mines de sel gemme, on utilise deux techniques :

— Au sein des couches les plus épaisses, des galeries ont été aménagées comme dans les mines de houille ; on abat des blocs qui

On a ainsi localisé une bande qui s'étend depuis les environs de Nancy jusqu'à Sarralbe et qui groupe trois principaux gisements : le premier, aux environs de Nancy, s'étend sous les localités de Dombasle, Varangéville et Rosières. Le deuxième se situe dans le secteur Dieuze, Château-Salins ; le troisième aux alentours de Sarralbe. On a pu reconnaître une quinzaine de couches superposées dont l'épaisseur, la puissance, comme disent les géologues, atteint de 20 à 25 m. Chaque couche repose sur une assise d'argile ou de marne. Les couches supérieures ainsi que les marnes bariolées ont protégé le gisement de l'action dissolvante des eaux d'infiltration.

Ce gisement fournit 1 500 000 tonnes de sel par an, soit les 9/10 de la production française.

2. *Autres gisements.* Quelques exploitations dans le Jura, à Salins, Poligny, Lons-

5  Mouvements d'une couche de sel.

Accumulation de sel

La couche salifère a percé la surface

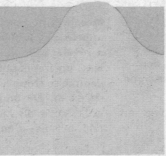

sont ensuite concassés et moulus.

— Dans les couches plus minces, on creuse des trous de sonde, on envoie de l'eau qui dissout le sel, le pompage permet de récupérer l'eau salée que l'on traite dans de grands récipients chauffés; par évaporation lente on obtient du gros sel; le sel fin résulte d'une ébullition de la solution.

Le sel est indispensable à l'alimentation de l'homme et des animaux; il permet en outre la conservation des aliments.

L'industrie chimique l'utilise dans la préparation de nombreux produits : eau de Javel, chlorures et carbonates de soude, etc.

## 5. Sels de potasse.

Encore dans la région de Mulhouse et à une profondeur de 200 à 700 m on a découvert l'existence de deux couches superposées de sels de potasse (roche tendre teintée en

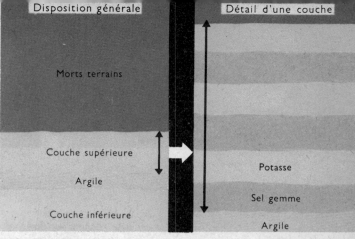

Disposition générale — Détail d'une couche

Morts terrains

Couche supérieure

Argile

Couche inférieure

Potasse

Sel gemme

Argile

6  Alternance des couches dans la région de Mulhouse.

rouge par des sels de fer, et très soluble dans l'eau). La couche supérieure (1,50 m d'épaisseur moyenne) est la plus riche (30 à 40 % de sels purs). L'inférieure, de 2,50 m de puissance, ne contient que de 13 à 33 % de potasse pure. L'étude minutieuse du gisement montre que les couches riches en sels de potasse alternent avec des assises de sel gemme, chacune d'elles ayant quelques centimètres d'épaisseur seulement.

7  Exploitation d'une mine de sel.

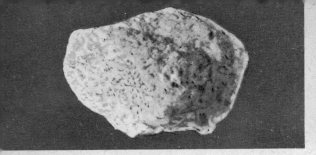

▲ 8  Gypse saccharoïde.

▲ 9  Gypse fibreux.

# Le gypse de Paris

★ *Le gypse est une roche abondante dans le sous-sol de Paris ( Montmartre) et dans la région parisienne. On le trouve à Pantin, Romainville, Cormeilles, Argenteuil, et on l'exploite dans des carrières profondes en partie à ciel ouvert.*

## I. Caractères.

### A. Aspects.

C'est une roche blanchâtre ou jaunâtre qui se présente sous plusieurs aspects :

— le *gypse fibreux* est formé d'aiguilles juxtaposées. Ces aiguilles ou cristaux peuvent, dans certains échantillons, se disposer de façon à ressembler à une patte d'oiseau : c'est le gypse pied d'alouette;

— le *gypse saccharoïde* est un gypse compact ainsi appelé parce que sa cassure présente de petites facettes miroitantes qui rappellent un morceau de sucre;

— le *gypse fer de lance*, beaucoup plus rare que les précédents, est formé de cris-taux plats accolés deux par deux et dessi-nant l'extrémité d'un fer de lance ; cette association régulière de deux cristaux constitue une *macle*.

Chaque cristal de la macle peut être divisé, à l'aide d'un canif, en lamelles paral-lèles. On dit que le cristal se clive et on appelle plan de clivage la surface d'acco-lement de deux lamelles.

Toutes les variétés de gypse sont rayées par l'ongle : c'est une *roche tendre*.

### B. Action de l'eau.

Il est soluble dans l'eau, mais peu (2,5 g à 3 g par litre). L'eau douce qui contient du gypse en dissolution est dite séléni-teuse : elle est impropre à la cuisson des légumes et au lavage, elle empêche le savon de mousser. L'eau ayant dissous du gypse, comme l'eau de la mer, évaporée par la chaleur, se concentre, et le gypse finit par se déposer.

### C. Action de la chaleur.

De petits morceaux transparents de gypse fer de lance, placés dans un tube à essais et chauffés au bec Bunsen, crépitent, deviennent plus opaques et se désagrègent en fragments plus petits. Au bout de 2 à 3 minutes une buée se dégage qui, au contact de la paroi froide du tube, se condense en gouttelettes d'eau. Le gypse contient donc de l'eau, c'est une roche hydratée. Si l'on prolonge le chauffage, on obtient une poudre blanche. Celle-ci,

▼ 10  Gypse fer de lance et « rose des sables ».

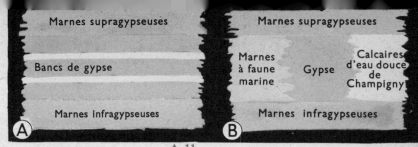

**A.** Disposition des bancs de gypse dans la région parisienne.

**B.** Schéma montrant que les marnes marines, le gypse et le calcaire d'eau douce sont des formations de même âge.

malaxée avec de l'eau, donne une bouillie opaque blanche qui durcit assez rapidement, se prend en masse, enfin se détache du récipient en en conservant la forme. On appelle *plâtre* cette poudre blanche qui fait prise avec l'eau et qui peut servir à faire des moulages. Il est formé par une substance appelée sulfate de chaux. Le gypse est donc du sulfate de chaux hydraté.

### D. Action de l'acide.

Aucune action, aucune effervescence.

## 2. Gisement du gypse de Paris.

Dans une carrière de la région parisienne on peut observer la succession des couches suivantes :

● A la base, une assise de marnes.

● Puis trois épaisseurs de gypse renfermant par endroits des ossements de Mammifères primitifs qui ont été étudiés par le naturaliste Cuvier au début du XIXe siècle. Ces couches de gypse sont séparées les unes des autres par des marnes qui ont fourni des coquilles de Mollusques marins.

● Au sommet, des marnes, dites *supragypseuses* à faune marine, recouvrent aussi le banc de gypse supérieur.

Si maintenant nous examinons l'ensemble des gisements de la région parisienne, nous ferons les constatations suivantes :

● Il existe plusieurs dépôts discontinus dont la carte indique la répartition.

● Les marnes supragypseuses recouvrent :

— le gypse dans les environs de Paris;

— le calcaire de Champigny à faune lacustre au sud de Paris;

— des marnes à faune marine au nord de Paris.

Ces trois formations (gypse, calcaire et marnes) sont contemporaines puisqu'elles sont recouvertes par la même assise des marnes supragypseuses. Elles définissent 3 aspects, 3 facies de dépôts de même âge.

## 3. Autres gisements de gypse.

Dans les Alpes, de nombreuses régions à sous-sol gypseux présentent un aspect caractéristique avec des entonnoirs d'effondrement, les « oules », dues à l'action dissolvante des eaux d'infiltration. L'existence d'une couche d'argile au fond de ces cuvettes permet la formation de petits étangs. Ailleurs une montée de gypse a produit de véritables dômes trouant les roches encaissantes. Dans les Pyrénées, on observe une variété appelée « anhydrite » qui, sous l'action de l'eau, se transforme en gypse en subissant une augmentation de volume, ce qui peut provoquer des mouvements de terrain.

## 4. Origine.

L'étude minutieuse de la succession des dépôts dans les marais salants montre que le gypse se dépose le premier, ce qui se comprend aisément puisqu'il est moins soluble que le sel ; comme ce dernier, il est d'origine chimique.

Nous pouvons imaginer le « paysage géologique » offert par la région parisienne lors de la formation des dépôts de gypse.

De vastes lagunes (analogues aux étangs actuels de la côte du Languedoc) occupaient l'emplacement des gisements de gypse, et s'étendaient entre la mer au nord et de grands lacs au sud. Peut-être

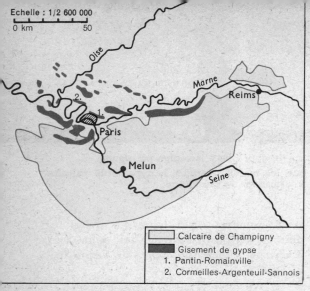

Echelle : 1/2 600 000

0 km          50

Oise

Marne

Reims

Paris

Melun

Seine

Calcaire de Champigny
Gisement de gypse
1. Pantin-Romainville
2. Cormeilles-Argenteuil-Sannois

▲ 12  Le gypse dans le Bassin parisien.

aussi sous un climat désertique avions-nous çà et là des étangs analogues aux « chotts » de l'Afrique du Nord. Sur les rives de ces lagunes ou de ces chotts vi-

vaient de nombreux animaux et notamment ceux dont les restes fossilisés ont été retrouvés dans le gypse. A deux reprises une incursion marine venue du nord a submergé les lagunes en déposant les marnes intercalaires. Puis une avancée marine plus importante et s'étendant plus loin vers le sud a mis fin au régime lagunaire, elle a formé les marnes supra-gypseuses qui, en définitive, ont permis la conservation du gisement.

## 5. Extraction et utilisation.

On extrait le gypse par abattage dans les carrières.

Sa principale utilisation consiste en la fabrication du plâtre, par chauffage à 160-180° dans des fours spéciaux. On sait que le plâtre gâché avec de l'eau sert à faire des moulages, des revêtements de plafond. Mélangé à de la colle forte, il donne du « stuc », qui imite le marbre.

─────── E X E R C I C E S   D ' O B S E R V A T I O N ───────

**1.** Examiner diverses variétés de gypse; constater l'aspect cristallin ; éprouver la dureté avec l'ongle, l'action d'un acide ; effectuer le clivage du gypse en fer de lance.
**2.** Constater qu'une solution de gypse (eau séléniteuse) ne dissout pas le savon.
**3.** Dans un tube à essais, chauffer quelques lamelles de gypse pour les transformer en plâtre; observer le dégagement de vapeur d'eau.
**4.** Délayer de la poudre de plâtre dans une petite quantité d'eau, observer la « prise » avec légère élévation de température.
**5.** Visiter des carrières de gypse en exploitation, ainsi que des fours à plâtre.

**6.** Examiner divers échantillons de sel gemme, pur et coloré par des impuretés; rechercher, dans du sel de cuisine, des cristaux de dimensions et de formes diverses et aussi des trémies.

**7.** Dissoudre du sel de cuisine dans l'eau, la faire évaporer dans un récipient largement ouvert, une assiette ou une soucoupe, en le plaçant près du feu et dans un courant d'air : constater la formation de cristaux de sel; faire la même expérience avec de l'eau de mer. Comparer cette expérience avec l'extraction du sel marin, par évaporation de l'eau de mer dans les marais salants sous l'influence de la chaleur solaire et du vent.

─────── *R É S U M É* ───────

*Le gypse et le sel gemme présentent les caractères communs suivants :*

● *1. Ces roches sont rayées par l'acier ou l'ongle.*

● *2. Elles ne font pas effervescence avec les acides.*

● *3. Elles sont essentiellement formées de sels (chlorures, sulfates), plus ou moins purs et solubles dans l'eau.*

● *4. Elles se sont déposées, à l'état cristallisé, par suite de l'évaporation de l'eau de mer dans des lagunes.*

*Ces roches forment le groupe des ROCHES SALINES.*

▲ 1 Une exploitation de houille à ciel ouvert.

# 5 Les roches combustibles

## Les combustibles solides

★ EXPLOITATION A DECAZEVILLE (Aveyron) (*fig. 1*). *Dans une sorte de carrière une disposition en gradins caractérise cette exploitation de houille à ciel ouvert. Dans chacun de ces gradins la houille se présente en couches plus ou moins épaisses encadrées par des bancs de schistes.*

### I. Caractères de la houille.

**A. Aspect.** La houille est une roche noire, brillante, feuilletée, c'est-à-dire schisteuse. Elle se casse facilement au marteau, mais ne présente pas de clivage.

**B. Action de l'eau et de l'acide.**

Insoluble dans l'eau; les acides n'ont sur elle aucune action.

**C. Action de la chaleur.** L'action de la chaleur est de beaucoup la plus importante et confère à la houille son utilité pratique.

*a) Combustion.* Placée dans un foyer, la houille brûle en dégageant une grande quantité de chaleur et du gaz carbonique; après cette combustion il reste des cendres. La substance chimique qui brûle est appelée *carbone*. Donc la houille est un composé de carbone et d'une partie incombustible.

On en distingue plusieurs catégories d'après la richesse en carbone :

Houille grasse ....... 80 % de carbone
— maigre ....... 90 % —
— Anthracite.... 95 % —

*b) Distillation.* Réalisons le montage suivant : des fragments de houille sont

Toit

Couche
de houille

Sol fossile

Mur

▲ 2   Schéma d'une couche de houille.

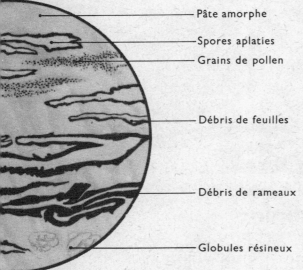

Pâte amorphe

Spores aplaties

Grains de pollen

Débris de feuilles

Débris de rameaux

Globules résineux

▲ 3   Schéma d'une préparation microscopique
montrant les débris végétaux.

▼ 4   Empreintes végétales (Fougères fossiles)
sur des schistes houillers.

placés dans une cornue, adaptons à cette cornue un tube à dégagement en forme d'U qui plonge dans une cuve à eau. Chauffons. Au bout de quelques minutes nous voyons se dégager des vapeurs brunâtres qui se condensent, c'est-à-dire qui deviennent liquides dans la partie du tube qui plonge dans l'eau, ce liquide constitue le goudron de houille; mais à l'extrémité du tube nous pouvons enflammer un gaz incolore qui donne une flamme éclairante et chaude. C'est du gaz inflammable que l'on utilise dans les fourneaux de cuisine et qui fut aussi utilisé autrefois pour l'éclairage des villes. Nous avons ainsi réalisé une usine à gaz miniature. Après cette opération nous trouvons dans la cornue des fragments vacuolaires, le coke, qui est donc de la houille privée de ses gaz combustibles.

## 2. Gisements.

Nous avons vu que parfois, notamment à Decazeville, la houille affleure, c'est-à-dire se trouve à la surface du sol, mais c'est là un gisement exceptionnel et le plus souvent on l'extrait de profondeurs plus ou moins grandes. On appelle morts terrains les assises de roches situées au-

5   La distillation de la houille donne un gaz
inflammable, des goudrons, du coke.

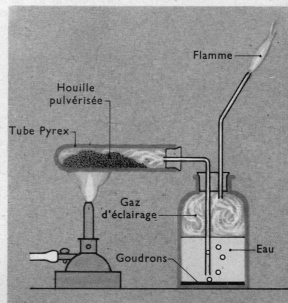

Flamme

Houille
pulvérisée

Tube Pyrex

Gaz
d'éclairage

Eau

Goudrons

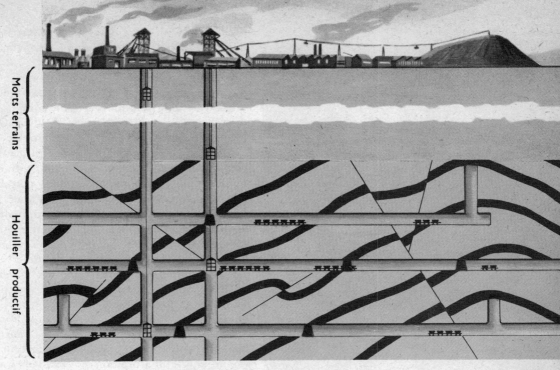

Morts terrains

Houiller productif

**6** Schéma de l'exploitation d'une mine de houille.

dessus des couches de houille. Les bassins houillers sont les régions d'où l'on extrait ce charbon. En France nous pouvons distinguer :

*a)* Le Bassin du Nord (s'étendant sur les départements du Nord et du Pas-de-Calais) qui fournit environ 65 % de la production française.

*b)* Le Bassin de la Moselle donnant 11 % de la production nationale.

*c)* Les Bassins du massif Central, dont la répartition est indiquée sur la carte de la page 73 et qui en fournissent 24 %.

Si on examine une exploitation, on peut constater que la houille constitue des couches ou lits dont l'épaisseur ou *puissance* est très variable : à Saint-Etienne 2,80 m; à Alès 1,35 m et dans le Nord 0,80 m. On appelle *mur* la partie inférieure de la couche et *toit* la partie supérieure. Ces couches sont séparées par des assises de roches stériles (schistes ou grès). On a calculé que dans le Bassin de Lens

sur 100 mètres d'épaisseur il y avait 4 mètres de charbon pour 61 mètres de schistes et 35 mètres de grès. Cette quantité énorme de roches inutilisables gêne considérablement l'exploitation. Mais à ces difficultés s'ajoutent souvent, et notamment dans le Nord, des cassures dues à des mouvements du sol postérieurs à la formation de la houille et qui ont déplacé les couches de leur position initiale.

Remarquons enfin que toutes les formations houillères datent de l'époque carbonifère, fin de l'ère primaire.

L'exploitation nécessite d'abord le creusement d'un puits dans lequel on descend par des cages d'ascenseurs (*fig. 6*), puis l'aménagement des galeries entraînant des travaux de boisage, le creusement de conduites d'aération et de conduites d'évacuation des eaux. Le charbon, autrefois obtenu par des pics maniés par le mineur, est actuellement extrait par des perforatrices fonctionnant à l'électricité, ainsi le rendement a pu être amélioré.

7 Un aspect de tourbière dans la Grande Brière.

## 3. Origine.

Comment s'est formée la houille ?

L'origine végétale va nous être démontrée par un certain nombre d'observations :

*a)* Parfois sur la houille même, le plus souvent sur les schistes on peut observer des empreintes de feuilles (*fig. 4*), des fossiles végétaux, tandis qu'au mur de la couche on a souvent retrouvé des racines fossilisées, se prolongeant dans la houille même par de véritables troncs debout, c'est-à-dire manifestement non dérangés de leur position initiale.

On a pu ainsi, en rassemblant les documents fossiles fournis par divers gisements, reconstituer la forêt houillère, qui était constituée par des végétaux de grande taille, dont certains avaient des feuilles ressemblant à celles de nos Fougères actuelles, tandis que d'autres peuvent être définis comme des Prèles et des Sélaginelles géantes.

*b)* Une préparation de houille examinée au microscope montre souvent l'existence d'une véritable bouillie végétale composée de débris variés d'écorces, de feuilles. On observe parfois la présence de microbes.

*c)* Le grisou, gaz inflammable, qui cause parfois des accidents dans les exploitations minières, se forme aussi dans des marais, par transformation de débris végétaux.

*d)* Certains paysages actuels, notamment le *Dismal Swamp* (Virginie), immense marécage de 200 000 hectares, présentent une végétation luxuriante et le fond en est encombré de débris végétaux divers qui se transforment peu à peu en un dépôt combustible assez semblable à la houille.

Toutes ces constatations nous autorisent à admettre que la houille est une roche d'origine organique, formée aux dépens de végétaux de l'époque houillère par une série de transformations, à l'abri de l'air, provoquées surtout par des microbes. Ces transformations entraînent un enrichissement progressif en carbone par départ des autres constituants du bois.

BOIS :      48 % de carbone
            52 % d'autres constituants
CHARBON : 85 % de carbone
            15 % d'autres constituants

## 4. Autres roches combustibles solides.

### A. Le lignite.

Des mines de Fuveau dans les Bouches-du-Rhône on extrait un combustible renfermant de 70 à 75 % de Carbone. Des fragments végétaux y sont souvent reconnaissables. C'est du *Lignite*. Le marécage du *Dismal Swamp* dont on a parlé plus haut explique son mode de formation.

### B. La tourbe.

La *Grande Brière* est située au nord de l'embouchure de la Loire. C'est une région marécageuse couvrant près de 10 000 hectares et dans laquelle poussent diverses plantes : Carex, Graminées et surtout une espèce de Mousse, les Sphaignes, qui s'imprègnent facilement d'eau, se développent en hauteur et dont la base se transforme peu à peu en une roche brune, spongieuse, peu consistante et qui renferme de 45 à 60 % de carbone. Une exploitation (fig. 7) montre la formation progressive de la tourbe qui se fait sous nos yeux, dans des régions humides et sous un climat relativement froid.

## 5. Utilisation.

La houille représente encore actuellement la principale source d'énergie. Elle sert au chauffage industriel et domestique. Elle est utilisée dans les centrales thermiques pour la production de l'électricité.

Sa distillation produit à la fois le gaz de ville et de nombreux sous-produits que l'on extrait des goudrons de houille (benzine, naphtaline, etc.).

Le coke, résidu de la distillation, est utilisé dans la métallurgie du fer, pour extraire ce métal de son minerai.

Cela explique que les pays riches en houille sont les plus fortement industrialisés. La France, déficitaire avec 55 millions de tonnes de production annuelle pour une consommation de l'ordre de 70 millions de tonnes, doit donc en importer. Depuis quelques années la construction de barrages sur les cours d'eau de montagne permet de faire fonctionner des usines hydro-électriques. Nos besoins, donc nos importations, sont ainsi diminués.

La tourbe, en raison de sa pauvreté relative en carbone, est un combustible d'assez médiocre qualité. Les pays pauvres en bois et en charbon l'utilisent néanmoins. En raison de ses propriétés absorbantes, elle sert à faire de la litière pour le bétail. Elle peut constituer aussi un engrais de bonne qualité.

Enfin le lignite, déjà meilleur combustible, est susceptible d'assez nombreuses utilisations industrielles (gaz d'éclairage, matières colorantes); on en extrait même des carburants assez semblables à l'essence minérale.

# Les combustibles liquides : le pétrole

★ Dans la région landaise, autour de l'étang de Parentis-en-Born, nous pouvons observer l'aspect caractéristique d'une exploitation pétrolifère.

La photo 10 représente un derrick, haute tour métallique supportant des tiges d'acier terminées par un trépan servant à perforer le sol jusqu'à des profondeurs de l'ordre de 2 500 mètres.

La photo 11 représente un puits en exploitation, comportant un dispositif appelé « arbre de Noël » permettant de recueillir le pétrole brut et de le diriger vers des réservoirs.

## I. Caractères.

### A. Aspect et constitution.

Le pétrole est un liquide plus léger que l'eau, de couleur verdâtre ou brunâtre, à odeur caractéristique.

### B. Action de la chaleur.

a) Combustion. Etalé sur une grande surface, il s'enflamme facilement en donnant une flamme éclairante et fuligineuse. L'analyse chimique montre qu'il est constitué par un mélange de produits organiques appelés « carbures d'hydrogène ». Il existe de nombreuses variétés de pétrole brut différant par les proportions respectives de ces divers carbures.

b) Distillation. Chauffé à l'abri de l'air, ou mieux, distillé, le pétrole se décompose peu à peu en une série de produits. C'est le raffinage.

On obtient ainsi :

— au-dessous de 80°, l'éther de pétrole, excellent dissolvant ;

— entre 80 et 150°, l'essence, utilisée pour les moteurs d'autos et avions ;

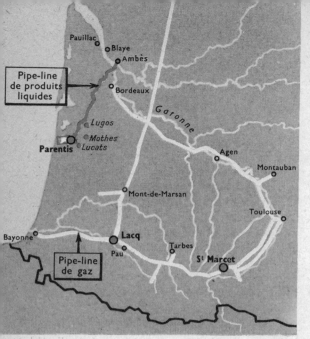

Pipe-line de produits liquides

Pipe-line de gaz

▲ 8   Carte de la région pétrolifère d'Aquitaine.

9   Le gisement pétrolifère de Parentis, carte et coupe.
▼

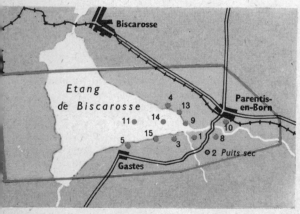

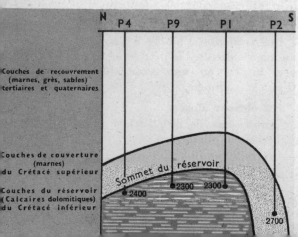

Couches de recouvrement (marnes, grès, sables) tertiaires et quaternaires

Couches de couverture (marnes) du Crétacé supérieur

Couches du réservoir (Calcaires dolomitiques) du Crétacé inférieur

— entre 150 et 300°, l'huile de pétrole, utilisée autrefois pour l'éclairage ;

— au-dessus de 300°, les huiles lourdes, gas-oil, mazout, huiles de graissage.

La proportion de ces divers produits varie énormément suivant les échantillons de pétrole. Celui de Parentis fournissant notamment 24 % d'essence est de qualité satisfaisante.

## 2. Gisements.

*a) Gisement de Parentis.* Une vingtaine de puits sont en exploitation dans la région de Parentis (*fig. 9*); la production actuelle est de 1 million de tonnes par an, les réserves probables de l'ordre de 50 millions de tonnes.

Les divers forages ainsi effectués ont permis de localiser d'une façon précise l'emplacement de la couche pétrolifère.

Une coupe dirigée Nord-Sud depuis le puits 2 montre successivement :

— 1 500 mètres de marnes, grès, sables d'âge tertiaire et quaternaire qui forment les couches de recouvrement ;

— 500 mètres de marnes du Crétacé supérieur, constituant les couches de couverture ;

— une épaisseur de 500 m de calcaire poreux renfermant le pétrole.

C'est la roche magasin ou réservoir.

Cette masse calcaire n'est pas formée de couches horizontales, mais constitue un dôme, un anticlinal dirigé Est-Ouest, et dont le flanc nord a une pente douce et régulière tandis que le flanc sud est plus redressé : le pétrole s'est accumulé au sommet de cet anticlinal.

Le Bassin d'Aquitaine présente d'autres possibilités (*fig. 8*) : dans les Landes entre Dax et Puyoo un forage en février 1957 a donné des résultats intéressants, tandis que depuis 1949 la région de Lacq (près de Pau) constitue un gisement important de produits pétroliers surtout gazeux, susceptibles de nombreuses utilisations industrielles.

La Régie Autonome des Pétroles exploite à Saint-Marcet (Haute-Garonne) un gise-

▲ 10 Un derrick dans les Landes.
11 L' « arbre de Noël ».
12 Installations d'une raffinerie.
13 Réservoirs permettant le
       stockage.

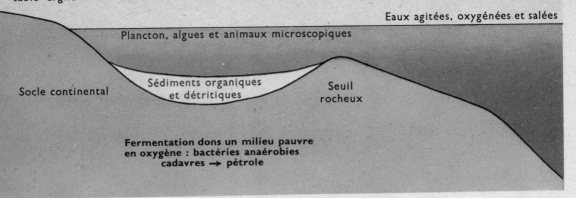

Eaux douces
apports.détritiques
sable - argile

Mer libre

Eaux agitées, oxygénées et salées

Plancton, algues et animaux microscopiques

Socle continental

Sédiments organiques
et détritiques

Seuil
rocheux

Fermentation dons un milieu pauvre
en oxygène : bactéries anaérobies
cadavres → pétrole

14  Schéma montrant l'origine du pétrole.

ment de gaz situé à 1 500 mètres de profondeur. L'usine de Boussens en traite 1 200 000 m³ par jour et un réseau de conduite, les pipe-lines, long de 800 km, alimente les principales villes de la vallée de la Garonne (Toulouse, Montauban, Agen, Bordeaux.)

*b) Ile-de-France.* Depuis quelques années de nombreux forages ont rencontré des couches pétrolifères dans le sous-sol de la région parisienne. Des puits sont en production dans les régions de Meaux et de Fontainebleau.

*c) Moyen-Orient.* La consommation métropolitaine annuelle est de l'ordre de 25 millions de tonnes, on prévoit dans 10 ans une utilisation de 40 à 45 millions de tonnes. La production nationale est donc très insuffisante, d'où l'obligation de faire appel à d'autres pays, notamment ceux du Moyen-Orient (Arabie Séoudite, Iran, Irak). La Compagnie Française des Pétroles exploite en Irak (région de Mossoul, Kirkouk) de très riches gisements. Leur localisation rappelle celle de Parentis. Il s'agit ici aussi d'anticlinaux de calcaires poreux situés entre les montagnes iraniennes au Nord et le désert d'Arabie au Sud. Les bateaux pétroliers chargent le pétrole brut dans les ports de Tripoli (Liban) et d'Haïfa (Israël) où aboutissent les pipe-lines venant des régions productrices afin de l'amener à de gigantesques raffineries installées notamment sur les bords de l'étang de Berre en Méditerranée, près de l'embouchure de la Gironde (Ambès), près d'Honfleur (Gonfreville) et Port-Jérôme (près du Havre).

*d) Sahara.* Enfin des sondages récents indiquent l'existence de gisements très importants au Sahara : Edjelé (près de la frontière libyenne); *Hassi Messaoud* (dans la région de Ouargla). Dans cette dernière région, le premier puits a nécessité un sondage de 3 400 m. La roche réservoir est ici une zone gréseuse assez hétérogène ; le gisement est riche de promesses (épaisseur très importante : 140 m, large extension à la fois E.-O. et N.-S., enfin pétrole d'excellente qualité). Mais il faut vaincre de grandes difficultés, acheminer tout le matériel nécessaire à l'exploitation, créer des conditions de vie acceptables, dans un pays par ailleurs peu favorisé, pour le groupe humain de plus en plus dense appelé par les installations, enfin aménager l'acheminement du pétrole hors de la zone productrice.

*e) Le pétrole dans le monde.* Parmi les grands pays producteurs, on peut citer :

En *Europe* : l'U.R.S.S., la Roumanie, la Pologne.

En *Amérique* : les U.S.A. avec trois grandes zones productrices :

Zone orientale : Pennsylvanie;

Zone centrale : Texas ;

Zone occidentale : Californie.

Puis divers pays de l'Amérique Centrale ou Méridionale : Mexique, Venezuela, etc.

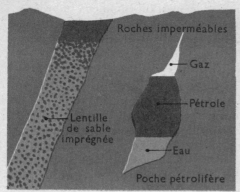

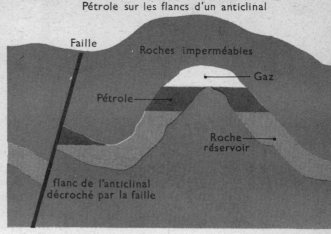

15 Divers modes de gisement du pétrole.

En *Asie :* surtout le Moyen-Orient, l'Irak, l'Iran, l'Arabie Séoudite, etc.

Et souvent dans toutes ces régions les roches réservoirs sont des roches poreuses (sable, grès, calcaires tendres) disposées en anticlinaux, le pétrole se rassemblant vers le sommet ; les couches de couvertures faites de roches imperméables (marnes, argiles) assurent la conservation du gisement. Parfois cependant le pétrole imprègne le sable et donne un gisement ouvert ou fermé (*fig. 15*).

## 3. Origine du pétrole.

### A. Origine organique.

Un certain nombre d'observations vont nous permettre de la démontrer.

*a)* L'analyse chimique des pétroles montre, à côté des carbures d'hydrogène, d'autres substances organiques qui n'ont pu être produites que par des êtres vivants.

*b)* On a découvert dans certains pétroles américains et russes des microbes vivants capables de transformer des matières grasses en mélange de carbures d'hydrogène, ces transformations ou fermentations ne se produisent qu'à l'abri de l'air.

*c)* On a obtenu expérimentalement des pétroles en traitant des matières grasses animales, des huiles de poisson par exemple, dans des conditions déterminées de température et de pression.

Le pétrole est *d'origine organique* et provient de la fermentation microbienne de matières grasses fournies par des êtres vivants.

### B. Les conditions de formation.

Remarquons que les eaux contenues dans les couches pétrolifères sont salées et renferment parfois de l'iode ; des roches salines (gypse ou sel) s'observent dans les gisements pétrolifères.

D'où une formation lagunaire probable. On peut donc reconstituer la succession suivante (*fig. 14*) :

*a) Formation de la roche-mère.* Soit une lagune séparée de la mer par un seuil rocheux. Dans une eau salée une faune et une flore y constituent le plancton. Les organismes, à leur mort, tombent dans la vase du fond de la lagune, et dans ce milieu pauvre en oxygène les matières grasses subissent des transformations chimiques.

Les cours d'eau arrivant dans la lagune apportent des sédiments argileux qui enferment la zone pétrolifère et permettent sa conservation. Cette couche argileuse imprégnée de pétrole constitue la roche-mère.

Par suite de l'instabilité du fond et notamment de son abaissement, ces phénomènes ont pu se reproduire plusieurs fois et permettre ainsi la constitution de gisements pétrolifères superposés.

*b) Migration du pétrole.* On ne trouve guère actuellement le pétrole dans des argiles, mais, nous l'avons vu, dans des

**16** Le gisement d'Hassi Messaoud en exploitation.

roches poreuses (sable, grès ou calcaires) dites *roches réservoirs*.

Donc, après sa formation, le pétrole s'est déplacé, a subi une migration.

Parmi les causes de cette migration, on peut citer sa légèreté, qui détermine cette tendance à remonter en surface. Et les mouvements du sol qui ont occasionné les plissements expliquent le gisement actuel du pétrole, le long des axes des anticlinaux qui forment un piège à pétrole. Bien entendu, la conservation du gisement exige qu'il soit enfermé dans une couche imperméable protectrice ; si la poche est crevée, le pétrole fuit dans toutes les directions et vient imprégner les roches de surface.

## 4. Recherche et extraction du pétrole.

A) *Prospection*. L'énorme importance du pétrole dans la vie moderne explique l'activité des prospecteurs, toujours à la recherche de nouveaux gisements. Lorsque des indices (schistes bitumineux imprégnés, suintements d'asphalte) sont observés, les ingénieurs spécialistes examinent les caractères géologiques de la région. Celle-ci offre des perspectives d'autant plus favorables, qu'elle se trouve située en bordure d'une chaîne de montagnes comprenant des couches plissées. On continue alors l'étude du terrain en utilisant un certain nombre de méthodes géophysiques, sur lesquelles nous ne pouvons insister, mais qui permettent de déterminer, d'une façon assez précise, la disposition des couches du sous-sol, et même de préciser leur allure anticlinale.

B) *Forage*. On installe alors le derrick, échafaudage métallique qui va soutenir la sonde et ses annexes, que l'on peut comparer à une énorme « chignole » (*fig. 17*). Le « trépan » constitue l'outil perforant, il comprend essentiellement des molettes dentées faites en acier spécial et recouvertes d'un corps très dur. Il est fixé à l'extrémité d'un « train » de tiges creuses. De puissants moteurs permettent, par l'intermédiaire du train de tiges, le mouvement de rotation des molettes du trépan. Une boue spéciale est injectée dans l'intérieur des tiges ; elle aide le trépan dans son travail de perforation, remonte à la surface des fragments de roches broyées, enfin colmate les parois du puits creusé. Parfois, au cours d'un forage on procède à l'opération du « carottage » : le « carottier » découpe des cylindres de roches. Remontées à la surface, ces « carottes » font l'objet d'une étude minutieuse portant sur les caractères physiques (porosité, perméabilité) et pétrographiques (recherche sur lames minces des microfossiles).

Le temps de forage varie évidemment suivant la profondeur du puits et la dureté des roches rencontrées. Pour le gisement de Parentis, on compte de 70 à 75 jours (montage et démontage du derrick compris).

Mais le premier forage d'Hassi Messaoud a demandé 6 mois (janvier-juin 1956).

C) *Pompage et raffinage.* Lorsque la nappe productrice est atteinte, et après démontage du derrick, on installe les appareils de pompage qui dirigent, à l'aide de pipe-lines, le pétrole brut soit vers des raffineries, soit vers des citernes (wagons ou bateaux). Le raffinage permet de séparer les divers constituants (essence, différentes huiles) du pétrole brut. Un rendement de 25 % d'essence est considéré comme satisfaisant, on peut l'accroître par l'opé-ration du « craking », qui consiste à traiter à haute température les derniers produits de distillation.

## 5. Autres combustibles.

Un certain nombre de roches sont souvent associées au pétrole dans les gisements, mais peuvent aussi exister seules en d'autres régions.

On peut retenir :

— les gaz naturels (Lacq, Saint-Marcet, Hassi R'Mel dans le Sahara);

— le bitume ou asphalte, roche noire, tendre, qui fond facilement, qui résulte de l'oxydation naturelle des pétroles bruts;

— le charbon d'algue ou « bog-head » dont l'étude microscopique révèle la présence d'une grande quantité de petites algues analogues à celles que l'on peut voir à la surface de certains étangs.

Ce charbon renferme aussi des hydrocarbures. Il constitue un intermédiaire entre les combustibles solides (type houille) et les combustibles liquides (type pétrole), et montre les analogies de formation entre ces deux variétés de roches.

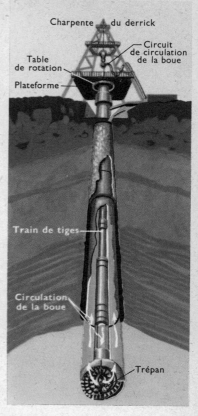

Charpente du derrick

Circuit de circulation de la boue

Table de rotation

Plateforme

Train de tiges

Circulation de la boue

Trépan

17 Détail d'un derrick mon-trant le trépan, le train de tiges, la circulation de la boue.

─────── EXERCICES D'OBSERVATION ───────

**1.** Examen de quelques échantillons de roches combustibles : houille, lignite, tourbe.

**2.** Examiner les produits de distillation du pétrole.

**3.** Examen de schistes houillers avec empreintes végétales. Les décrire.

**4.** Réaliser le montage de la distillation de la houille. Noter les produits obtenus.

**5.** Commentaire de films sur les mines de houille et l'exploitation pétrolifère.

**6.** Emplacer sur une carte les gisements de houille en France.

─────────────────────── *RÉSUMÉ* ─

*La tourbe, la houille, le pétrole présentent les caractères communs suivants :*

● *1. Ces roches contiennent une forte proportion de carbone et, grâce à ce carbone, elles sont capables de brûler en dégageant une plus ou moins grande quantité de chaleur; elles sont combustibles.*

● *2. Elles sont de couleur foncée, solides ou liquides.*

● *3. Elles proviennent de la décomposition de cadavres, animaux et végétaux, à l'abri de l'air et par l'action des bactéries.*

*Ces roches forment le groupe des ROCHES COMBUSTIBLES.*

▲
1 Deux paysages granitiques : en haut, l'Agout à la sortie du Sidobre ; en bas, chaos de rochers. 2
▼

# 6 Le granite et les roches grenues

★ DEUX PAYSAGES DU SIDOBRE. *Le Sidobre est une région située au nord-ouest de la Montagne Noire, partie sud du Massif Central. Il est traversé par la vallée de l'Agout, affluent du Tarn.*

*Le premier paysage (fig. 1) montre la vallée de l'Agout, sorte de gorge étroite au fond de laquelle, dans une partie élargie, s'étale le village de Burlats. L'Agout et ses affluents paraissent avoir découpé une plate-forme en croupes largement arrondies.*

*Le deuxième paysage (fig. 2) correspond à ce que l'on appelle dans le pays un «compayré». Il s'agit d'un chaos rocheux, d'une accumulation de rochers, dans la vallée d'un ruisseau.*

*Les deux aspects du Sidobre traduisent un paysage granitique.*

## I. Caractères du granite.

### A. Aspect et constitution.

Le granite est une roche de couleur grisâtre, dure et rugueuse au toucher.

*a) A l'œil nu*, on distingue des éléments de forme et de couleur variées, présentant souvent des facettes brillantes. Ces éléments sont des *cristaux* (macrocristaux) : le granite est donc une *roche cristalline*. Ces cristaux sensiblement de même taille ont l'aspect de *grains* étroitement accolés : le granite est encore une roche *grenue*.

Les éléments du granite, répartis sans ordre, sont en général de trois sortes :

— des *cristaux noirs* de *mica*. Ils forment des plages brillantes qui peuvent facilement se débiter, à l'aide d'un couteau, en feuillets minces. On dit que *les cristaux de mica se clivent*; ils le font suivant des surfaces appelées *plans de clivage*;

— des *cristaux blancs* ou *roses* (suivant les échantillons) de *feldspath*. Chaque plage de feldspath paraît formée de deux parties dont l'une a un éclat brillant tandis que l'autre est terne. On dit que deux cristaux sont juxtaposés et on appelle *macle* cette disposition;

— des *cristaux gris de quartz*. Ils ont un éclat gras, une forme irrégulière et paraissent remplir les espaces entre les autres constituants. Ils sont très durs et raient le verre et l'acier.

Ces éléments ou minéraux sont évidemment de nature chimique différente. Le *quartz* est formé de *silice pure*. Dans le *feldspath* sont combinés la silice et deux métaux, l'aluminium et le potassium : le feldspath est un *silicate d'alumine et de potasse*. Le *mica* contient aussi de la silice, du potassium, du magnésium et du *fer* qui peut s'altérer et lui donner une teinte rouille. Au total, le granite contient une *grande quantité de silice* (plus de 65 %) : c'est une *roche cristalline acide*;

*b) Au microscope*, on peut examiner par transparence des préparations minces de granite réalisées par usure sur une meule.

Les cristaux de mica forment des plages marron, verdâtres, irrégulières, déchiquetées sur les bords *(fig. 4)*. Les cristaux de feldspath sont formés de deux parties de teinte légèrement différente (gris clair et gris foncé), accolées suivant la macle. Les cristaux de quartz, plus transparents, aux contours irréguliers, contiennent des enclaves diverses.

### B. Action de l'eau, de la chaleur et d'un acide.

Placé dans de l'eau, le granite ne se dissout pas : il est insoluble dans l'eau.

Dans les blocs granitiques de la fig. 2 on reconnaît des cristaux de quartz aux formes

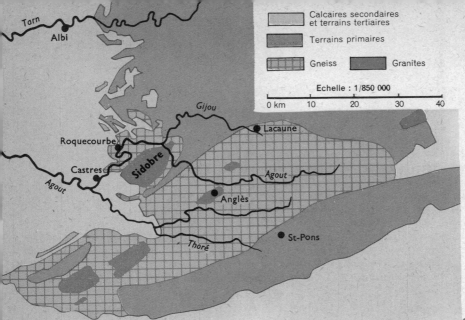

Echelle : 1/850 000

0 km    10      20      30      40

**3  Carte des massifs granitiques de la région de Castres (Tarn).** ◄

irrégulières, et intacts, des cristaux de mica altérés à teinte rouge, enfin des éléments de feldspath plus rares, en tout cas devenus très friables. L'arène provient d'une désagrégation due à la modification du mica et du feldspath sous l'action des agents atmosphériques : eaux de pluie, de ruissellement, variations de température, etc. On dit que le granite est " pourri "; il s'effrite. L'altération se fait surtout aux angles des blocs initiaux qui finissent par prendre l'aspect en boules constaté dans les « compayrés » du Sidobre.

Chauffé à des températures ordinaires voisines de 100°, le granite ne fond pas et ne subit pas de modifications.

Il n'est pas non plus attaqué par l'acide chlorhydrique qu'utilise souvent le géologue.

## 2. Le gisement du granite du Sidobre.

Comme le révèle la carte géologique (carte de France au 1/80 000 : feuille de Castres), le granite du Sidobre forme un massif de forme ovale s'étalant sur le rebord nord-ouest de la Montagne Noire sur un espace de 16 km de long et de 8 km de large environ : c'est là un *gisement*.

Il est traversé par la vallée de l'Agout, coupé par de nombreux ruisseaux, affluents de cette rivière, et qui ont creusé des vallons plus ou moins profonds dans lesquels s'entassent des chaos de rochers. Des blocs rocheux isolés, de forme caractéristique, toujours arrondis, s'observent sur les parties élevées. Ces blocs ont reçu des noms

▼ **4  Microphoto de granite.**

▼ **5  Schéma de la microphoto de granite.**

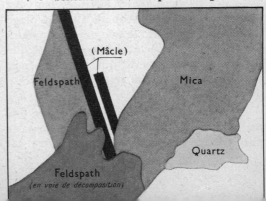

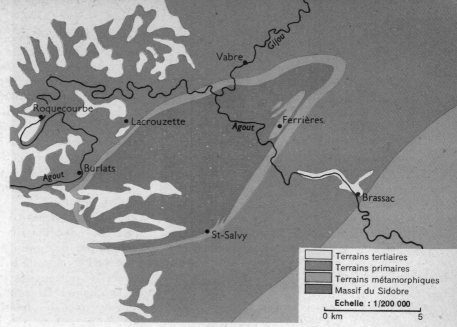

**6** Le massif du Sidobre et ses différentes formations géologiques.

*Légende :*
Terrains tertiaires
Terrains primaires
Terrains métamorphiques
Massif du Sidobre

Echelle : 1/200 000

0 km                    5

*(Noms sur la carte : Gijou, Vabre, Roquecourbe, Lacrouzette, Agout, Ferrières, Burlats, Agout, St-Salvy, Brassac)*

divers : Pierre Clouée, Pierre de l'Oie.

Dans la partie est du massif, au nord de Ferrières, se trouve une bande allongée faite d'une roche feuilletée, le schiste. Cette bande constitue une *enclave* au sein du granite. On peut observer cette disposition ailleurs dans la région.

Sur toute la périphérie, la masse du granite est enveloppée par une auréole de schistes spéciaux étudiés plus loin.

Encore à l'extérieur de cette auréole, le massif granitique du Sidobre est encadré :

— au sud, au sud-est, au nord et au nord-ouest, par des masses importantes de nouveaux schistes qui présentent le même aspect et la même composition que ceux rencontrés au nord de Ferrières;

— au sud-ouest et à l'ouest, par des formations calcaires d'âge tertiaire qui se prolongent sur le granite, qu'elles recouvrent par endroits.

## 3. Autres régions granitiques.

### A. Les massifs granitiques de l'axe des chaînes de montagnes.

On trouve en France (voir carte géologique) des massifs granitiques dans l'axe des chaînes de montagnes.

## 1. DANS LES MONTAGNES VIEILLES.

*a) Massif Central :* Le Limousin est, comme le Sidobre, un pays granitique formé de croupes arrondies séparées par des vallées profondes qu'ont entaillées les rivières. Les « pierres de fée » sont des chaos rocheux qui rappellent les « compayrés ». Un échantillon de granite du Limousin montre, à côté des trois éléments qui constituent habituellement le granite, un quatrième minéral, le mica blanc. Le granite du Limousin à 2 micas est appelé *granulite*.

*b) Massif Armoricain :* Sur le granite armoricain, s'étend la lande bretonne, si caractéristique, avec ses bruyères, ses ajoncs et ses fougères. A Ploumanac'h et à Huelgoat, on rencontre des chaos de rochers et des pierres branlantes. Le granite de Bretagne a parfois des cristaux de feldspath rose.

*c) Vosges cristallines :* Le paysage montre ici encore des croupes arrondies, dont le Ballon d'Alsace est le type. Le granite des Vosges contient un minéral vert appelé amphibole. C'est une nouvelle variété : le granite à amphibole.

49

Aspects de l'érosion en pays granitique :
▲ 7 Le Chaos de Targassonne (Pyr.-Or.) avec l'Oiseau des Ruines.
▼ 8 La " Pierre Clouée ", dans le Sidobre.

▼ 9 Le Massif du Pelvoux avec ses arêtes granitiques.

## 2. DANS LES MONTAGNES JEUNES.

*a) Pyrénées* : Les massifs granitiques y sont nombreux. On peut citer notamment :

— Le massif de Saint-Laurent-de-Cerdans et une partie du Canigou, au sud de la plaine du Roussillon.

— Le massif du Quérigut et de l'Andorre, traversé par le col du Puymorens.

— Le massif de la Maladetta, qui correspond aux plus hauts sommets pyrénéens.

— Le massif de l'Agly, dans les Pyrénées-Orientales.

*b) Alpes* : Il existe dans les Alpes une zone dite des massifs cristallins, formée surtout par des granites. Ces massifs sont ceux du Pelvoux, de Belledonne, du Mont-Blanc. Ils portent les plus hauts sommets de la chaîne. Ils sont formés, différence majeure avec les montagnes vieilles, par une succession de pics et d'aiguilles, d'aspect déchiqueté, qui confèrent à ces régions leur pittoresque grandiose. Cette forme particulière de relief granitique s'explique par l'action différente de l'érosion. Ici la destruction se fait moins par les eaux de ruissellement que par les variations de température et par le gel, qui font éclater les roches, accentuant le relief.

Le granite du Mont-Blanc renferme un élément vert, la chlorite, qui remplace le mica. Ce granite est appelé *protogine*.

### B. Le granite dans le monde.

Le granite participe dans le monde à la formation de grandes masses cristallines. Dans l'hémisphère Nord, on le trouve au Canada, en Scandinavie, en Sibérie, en Russie et en Chine où il constitue de vastes régions appelées « boucliers ». Dans l'hémisphère Sud, il participe à la structure du Brésil, de l'Australie et de l'Antarctide.

Ces grandes masses cristallines forment l'ossature de la surface de la Terre.

## 4. Autres roches grenues.

### A. La syénite.

Bien que plus foncée que le granite, elle reste encore de teinte claire. Elle est formée de deux sortes de cristaux seulement : feldspath et amphibole (cette dernière, verdâtre, se présente soit sous forme d'aiguilles, soit sous forme de cristaux de section hexagonale).

La syénite ne forme pas de véritables massifs, mais est parfois associée au granite (dans le Massif du Pelvoux notamment).

### B. La diorite.

Plus sombre que la syénite, elle s'en distingue par un feldspath moins riche en silice et contenant de la soude et de la chaux. C'est une roche basique. La plus célèbre est la diorite orbiculaire de Corse ou corsite. Elle est caractérisée par des orbicules (cristaux disposés en files rayonnantes de façon à réaliser des ensembles sphériques).

La kersantite est une diorite à mica qui se présente en filons dans la rade de Brest et qui a été utilisée pour l'édification des calvaires bretons.

### C. Le gabbro.

C'est une roche très foncée qui comporte quelques cristaux de feldspath essentiellement calciques et surtout deux autres variétés de cristaux, l'une constituant des éléments foncés de section octogonale : le pyroxène, l'autre constituant des grains verts irréguliers : le péridot.

Pauvre en silice, le gabbro est aussi une roche basique.

Le gabbro forme souvent des massifs cristallins, comme celui du mont Viso dans les Alpes.

Toutes ces roches peuvent s'observer en Corse, « cette montagne dans la mer ». La partie ouest est surtout un énorme bloc de granite et de granulite avec les calanches de Piana aux découpures étranges et fantastiques, simulant « une ménagerie de cauchemar pétrifiée par le vouloir de quelque dieu extravagant » (Maupassant).

On peut aussi noter des gisements de syénite (golfe d'Ajaccio), de diorite orbiculaire (Sartène) et la présence de petits massifs de gabbro dans le nord-est de l'île.

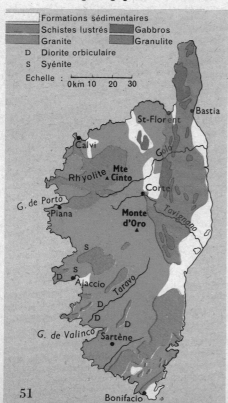

10 Carte géologique de la Corse.

Formations sédimentaires
Schistes lustrés   Gabbros
Granite            Granulite
D   Diorite orbiculaire
S   Syénite
Echelle :
0 km 10   20   30

Bastia
St-Florent
Calvi
Golo
Rhyolite   Mte Cinto
Corte
G. de Porto
Piana          Tavignano
Monte d'Oro
S
S
D   Ajaccio   Taravo
D
D          D
G. de Valinco   Sartène
Bonifacio

## 5. Utilisations.

La plupart des roches grenues que nous venons d'étudier sont utilisées comme matériaux de construction.

Le granite taillé sert à faire des bordures de trottoirs, des pavés pour les rues; il a servi à construire l'abbaye du Mont-Saint-Michel, et, étant donné l'importance des gisements granitiques en Bretagne, de nombreuses églises et monuments bretons ; les colonnes de l'Opéra de Paris sont aussi en granite ; etc. Poli, ou simplement taillé, il est utilisé pour les monuments funéraires.

L'obélisque de Louksor, de la place de la Concorde à Paris, est fait de syénite.

La diorite orbiculaire polie est le matériau du tombeau de Napoléon aux Invalides.

Certaines pegmatites, à larges cristaux de mica, sont aussi exploitées. Les cristaux de mica, clivés et taillés à la forme et à la dimension voulues, peuvent, grâce à leur résistance à la chaleur, être utilisés comme garnitures de poêles, regards de hauts fourneaux, etc.

Signalons enfin que de nombreux gisements de granite renferment de l'uranium utilisé dans l'industrie atomique.

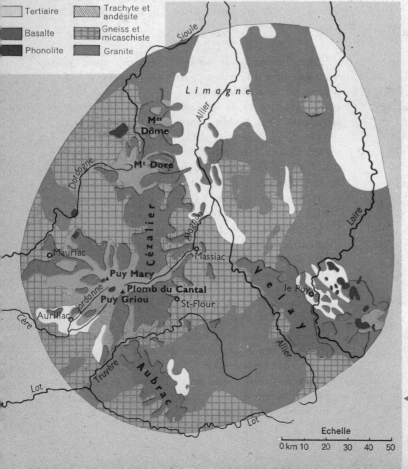

| | |
|---|---|
| Tertiaire | Trachyte et andésite |
| Basalte | Gneiss et micaschiste |
| Phonolite | Granite |

Sioule

L i m a g n e

Allier

Mᵗˢ Dôme

Mᵗ Dore

Dordogne

C é z a l i e r

Alagnon

Mauriac

Massiac

Jordonne

Puy Mary

Plomb du Cantal

Puy Griou

St-Flour

Aurillac

Cère

Lot

Truyère

A u b r a c

Lot

Loire

V e l a y

le Puy

Allier

Echelle

0 km 10   20   30   40   50

1 Les orgues basaltiques de Jaujac : un bel exemple de basalte prismé des vallées.

◄2 Carte géologique de la région volcanique d'Auvergne.

52

# 7 Le basalte et les roches microlithiques

★ Un paysage basaltique. *Cette photo (fig. 1) prise dans le massif Central montre, de part et d'autre du ruisseau, deux entablements, deux coulées de basalte. Sur la coulée inférieure on distingue nettement des colonnades verticales les prismes basaltiques assez régulièrement alignés. Dans la coulée supérieure, la roche est plus compacte ; elle prend par endroits un aspect vacuolaire ; creusée de petites cavités, elle ressemble à une écume solidifiée. C'est là un gisement de basalte avec ses trois aspects : compact, vacuolaire, prismatique.*

## I. Caractères du basalte.

### A. Aspect et constitution.

1. *A l'œil nu :* Le basalte est une roche compacte de couleur sombre, gris foncé ou noir, dure comme le granite, d'aspect parfois vacuolaire. La majeure partie de la roche est sans structure visible. On peut cependant reconnaître quelques cristaux de péridot (olivine) et de pyroxène comme dans le gabbro.

Certaines variétés de basalte renferment aussi des cristaux blancs de feldspath calcique qui tranchent fortement sur le fond noir de la masse : ces variétés de basalte sont appelées, à cause de ce caractère, *basaltes demi-deuil.* Le basalte, comme le gabbro, est dans l'ensemble pauvre en silice : c'est une roche basique.

2. *Au microscope :* Une lame mince de basalte examinée au microscope révèle qu'il comporte en réalité trois sortes d'éléments.

● Les gros cristaux précédents : ce sont des *macro-cristaux.*

● Une multitude de minuscules petits cristaux allongés appelés *microlithes.*

Ces microlithes sont orientés en files parallèles souvent ondulées comme s'ils avaient été mis en place dans un courant.

3 Microphotographie de basalte.

Ils comprennent quatre sortes d'éléments : des microlithes de pyroxène, des microlithes de péridot, des petits cristaux noirs de magnétite, élément contenant du fer et qui donne à la roche la propriété de dévier l'aiguille aimantée, enfin et surtout des microlithes de feldspath calcique.

● Tous ces éléments cristallisés sont joints par une pâte plus ou moins abondante, non cristallisée, ayant l'apparence du verre et par conséquent amorphe.

Les microlithes constituent les éléments les plus abondants et les plus caractéristiques du basalte : *le basalte est une roche cristallisée microlithique.*

### B. Action de l'eau, de l'acide, de la chaleur. Ils sont sans effet sur le basalte, comme sur le granite.

4 Coupe géologique du Cantal.

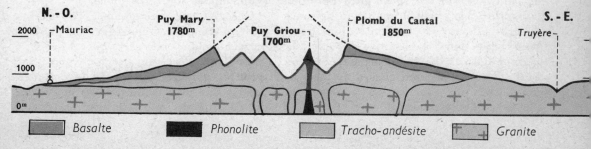

## 2. Gisement basaltique du Cantal.

Si l'on examine l'ensemble de la formation basaltique de Saint-Flour (fig. 2), on peut constater qu'elle forme un plan incliné, qui descend d'une altitude moyenne de 900 m vers la vallée de l'Alagnon au Nord, vers celle de la Truyère au Sud. C'est une *planèze*. La décomposition du basalte a permis la formation d'une terre végétale propre à la culture des céréales, des pommes de terre, et au développement de riches prairies d'élevage.

Cette planèze de Saint-Flour fait partie d'un ensemble géographique : le massif du Cantal, de 80 km de diamètre et 280 km de circonférence. Les hauts sommets : Puy Griou (1 694 m), Plomb du Cantal (1 858 m), Puy Mary (1 787 m) se situent dans la partie centrale; la périphérie par contre y est formée de planèzes séparées les unes des autres par des rivières dessinant un étoilement caractéristique (la Rhue, la Cère, la Jordanne, l'Alagnon). Parmi les autres formations basaltiques du massif Central, on peut noter l'Aubrac, le Cézallier et celles du Velay.

Parfois des entablements basaltiques dominent la vallée, comme dans la région de Massiac. On parle alors de basalte des plateaux.

## 3. Autres roches volcaniques.

*Dans le Cantal :* La région périphérique que nous avons vue est formée par les planèzes basaltiques, la partie centrale montre d'autres roches qui, comme le basalte, ont une structure microlithique.

**Andésite :** En descendant la vallée de la Cère, en partant du col du Lioran, on peut observer une roche plus claire que le basalte. Son examen montre la présence de gros cristaux de feldspath (plus nombreux que dans le basalte), des cristaux d'amphibole et de pyroxène. Ces cristaux sont noyés dans une masse formée de microlithes de constitution analogue et par une pâte vitreuse.

Le basalte du Plomb du Cantal recouvre cette formation andésitique, qui lui est donc antérieure.

**Trachyte :** Aux environs d'Aurillac, sous la masse d'andésite précédente apparaît une autre roche plus claire, rugueuse au toucher, le trachyte, ayant la même structure microlithique, avec des macrocristaux de feldspath alcalin et d'amphibole. Un volcan actuel, le Vulcano, rejette une lave qui, par solidification, donne un trachyte.

**Phonolite :** La belle aiguille du Puy Griou (1 694 m), séparant la vallée de la Cère de celle de la Jordanne, est formée par une roche verdâtre, sonore, qui se débite en lames régulières. Assez semblable comme composition au trachyte, elle s'en distingue par la présence d'un autre minéral, la néphéline, à la place des feldspaths.

*Le Mont-Dore* présente une physionomie analogue au Cantal. Le centre du massif est constitué de trachyte et d'andésite, tandis que la phonolite forme les Roches Tuilière et Sanadoire, et en Corrèze les Orgues de Bort.

*La Chaîne des Puys :* Du sommet du Puy-de-Dôme on a devant les yeux un véritable musée de reliefs volcaniques, les Puys, volcans éteints ayant surtout (à l'époque de leur activité) rejeté du basalte et une variété de trachyte clair (la domite) renfermant des cristaux de feldspath, et une variété d'andésite, la pierre de Volvic.

*Région Velay-Vivarais :* Des pitons ou « sucs » de phonolite y forment le Meygal, le Meyzenc, le Gerbier-de-Jonc.

**Roches vitreuses.** *L'obsidienne*, encore appelée « verre de volcan », s'observe parfois à la surface d'une coulée de basalte. C'est une roche noire ou verdâtre, compacte, à cassure courte et tranchante qui ressemble à une masse de verre foncé.

Observée au microscope, l'obsidienne n'est qu'une pâte compacte et amorphe avec parfois quelques très rares microlithes.

*La ponce* est une roche volcanique, grisâtre, poreuse, légère. On la considère comme une obsidienne poreuse ou, mieux, de l'écume de lave solidifiée.

▲ 5  **Panorama de la Chaîne des Puys** (région du Puy-de-Dôme), véritable musée de reliefs volcaniques.

▼ 6  Au Puy-en-Velay, le Rocher Corneille et Saint-Michel d'Aiguilhe.

## 4. Origine des roches éruptives.

Essayons maintenant d'expliquer l'origine et le mode de formation des deux catégories de roches que nous venons d'étudier (granite et basalte).

**A. Pour l'origine du basalte et autres roches microlithiques**, nous avons déjà noté l'essentiel. Les volcans actuels (ceux des îles Hawaï) rejettent des laves dont la solidification donne du basalte. Lors de l'éruption de la Montagne Pelée en 1902, on a assisté à la formation d'une andésite. De même des volcans actuels rejettent des laves trachytiques.

Par analogie nous pouvons donc admettre que le trachyte, la phonolite, proviennent d'une émission de lave, d'où leur nom de roches éruptives ou volcaniques.

D'où viennent les laves? Ici nous sommes obligés de reprendre l'hypothèse suivant laquelle on admet qu'il existe, sous l'écorce terrestre ou lithosphère, une 2e zone occupée par le *magma*, sorte de bain visqueux, à 1 500 ou 2 000°, et renfermant un mélange de silice, alumine, fer, chaux, magnésium, etc. Ce magma, en se refroidissant, se solidifie. C'est le cas des laves volcaniques projetées brusquement à la surface du sol.

Une expérience très simple montre que la durée du refroidissement influe sur la cristallisation. Faisons fondre du soufre dans un creuset, laissons refroidir et perçons deux trous dans la couche superficielle solidifiée: le soufre qui s'écoule, refroidi brusquement, est amorphe; celui qui reste dans le creuset, refroidi lentement, forme peu à peu de belles aiguilles qui sont de véritables cristaux.

Nous pouvons, en définitive, nous représenter ainsi la formation du basalte :

*a*) Le magma commence à faire ascension hors de la zone magmatique. Les macrocristaux s'individualisent par refroidissement lent (1er temps de cristallisation).

*b*) Lors de l'ascension plus rapide dans la cheminée volcanique, les microcristaux se forment (2e temps de consolidation).

*c*) Lors de l'épanchement enfin, la *pâte*, ou verre, cimente le tout.

L'obsidienne et la ponce proviennent de la solidification de la partie superficielle d'une coulée de lave. Le refroidissement très rapide au contact de l'air a empêché la formation des cristaux.

**B. Origine du granite et des roches grenues.** Elle est à priori moins aisée à comprendre. Rappelons simplement quelques observations.

*a*) Le granite et les autres roches grenues présentent les mêmes cristaux constituants que les roches volcaniques, seule la taille des cristaux peut les faire distinguer.

*b*) Si on examine un massif granitique en place, on voit qu'il s'élargit en profondeur et sa base doit se relier à des masses magmatiques internes.

*c*) Un massif granitique n'est pas toujours homogène et montre de véritables enclaves diverses (fragments de roches sédimentaires, vestiges de roches dont le granite a pris la place).

*d*) Le granite entièrement cristallisé provient d'un magma qui s'est refroidi lentement. (Comparaison avec les aiguilles de soufre formées dans le fond du creuset.)

Toutes ces observations permettent de penser que le magma, qui va donner en définitive du granite, fait lentement ascension dans les couches inférieures de l'écorce terrestre; grâce à sa haute température, il fond les roches qui se trouvent sur son trajet, et c'est ce mélange : magma et roches sédimentaires fondues, qui va recristalliser en s'éloignant du foyer, source de chaleur, mais lentement, car les couches supérieures de l'écorce recouvraient le massif en formation.

Pour expliquer les autres roches à structure grenue, on peut penser que le magma n'a pas partout la même composition chimique.

# EXERCICES D'OBSERVATION

### A. LE GRANITE

**1.** Observer à la loupe un échantillon de granite et y reconnaître les minéraux constituants.

**2.** Observer au microscope une lame mince de granite. Y reconnaître de même les cristaux constituants.

**3.** Rechercher dans la collection du laboratoire les échantillons de granite provenant de diverses régions de France. Noter les ressemblances et les différences.

**4.** Comparer un granite « frais » et un granite « pourri ».

**5.** Etudier, si cela est possible, un gisement local de granite. Reporter ces affleurements sur la carte de la région. Rassembler quelques photographies se rapportant à ce gisement.

**6.** Faire une collection de cartes postales se rapportant à des paysages granitiques; comparer les aspects des paysages bretons ou limousins à ceux des régions alpines ou pyrénéennes.

**7.** Examiner d'autres roches à structure grenue qui existent au laboratoire. Comparez-les.

**8.** Placer sur une carte les gisements de granite et autres roches grenues.

### B. LE BASALTE

**1.** Observer à la loupe, puis sur une lame mince un échantillon de basalte. En déduire la notion de structure microlithique.

**2.** Rechercher dans la collection du laboratoire les roches présentant la même structure, notamment un trachyte, une andésite, une phonolite. Essayer d'en déterminer les différences.

**3.** Constituer une collection de cartes postales se rapportant à ces roches.

**4.** Placer sur une carte les gisements de roches microlithiques du massif Central.

# RÉSUMÉ

*Le granite et les roches voisines présentent les caractères suivants :*

● *1. Elles ont une texture grenue; les cristaux constituants (variables suivant les roches) ont sensiblement la même grosseur.*

● *2. Elles se sont formées en profondeur à partir de magmas intrusifs.*

● *3. Le granite forme des massifs arrondis ou des pics à relief très accusé. Les autres roches sont moins répandues.*

● *4. La décomposition du granite donne un sol siliceux. En montagne, chênes, hêtres et châtaigniers recouvrent les massifs de superbes forêts. Sous un climat frais et humide, la lande avec bruyères, fougères et genêts, s'y développe fréquemment; la culture la plus productive est celle de la pomme de terre. Par contre, dans la Provence cristalline et en Corse, le « maquis », formation végétale comprenant chênes-lièges, pins maritimes et des fourrés d'arbousiers, de bruyères et de cistes, caractérise les régions granitiques sous le climat méditerranéen.*

● *Toutes les roches basaltiques présentent un caractère commun : leur structure microlithique (macrocristaux, microcristaux, pâte non cristallisée). Par contre, les cristaux constituants sont différents et nous les avons déjà observés dans les roches grenues.*

*En effet, la rhyolite est un granite à structure microlithique.*

*Le trachyte, la phonolite sont des syénites à structure microlithique.*

*L'andésite est une diorite à structure microlithique.*

*Le basalte est un gabbro à structure microlithique.*

*Elles sont d'origine volcanique et proviennent de la solidification des laves. Les éruptions actuelles nous renseignent sur le mécanisme de leur formation.*

*La décomposition du basalte donne une terre végétale propre à la culture des céréales et au développement de riches prairies d'élevage.*

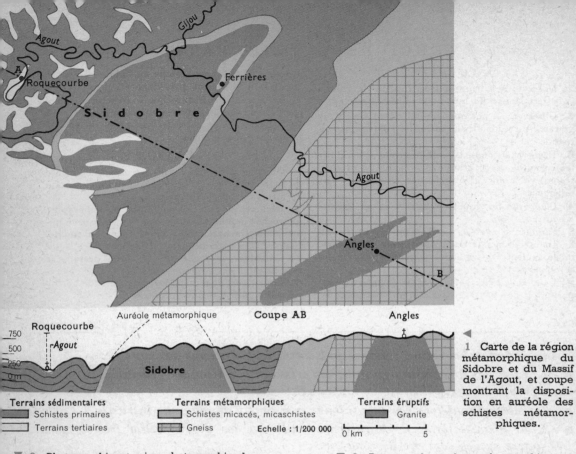

Coupe AB

750
500
250
0 m

Roquecourbe

*Agout*

Auréole métamorphique

Sidobre

Angles

**Terrains sédimentaires**
- Schistes primaires
- Terrains tertiaires

**Terrains métamorphiques**
- Schistes micacés, micaschistes
- Gneiss

Echelle : 1/200 000

**Terrains éruptifs**
- Granite

0 km      5

**1**   Carte de la région métamorphique du Sidobre et du Massif de l'Agout, et coupe montrant la disposition en auréole des schistes métamorphiques.

▼ **2**   Photographie et microphotographie de gneiss (cristaux en lits parallèles).

▼ **3**   Paysage de roches métamorphiques : Les Cévennes.

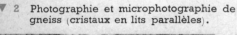

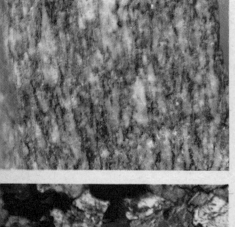

# 8 Les roches métamorphiques

★ LA ZONE MÉTAMORPHIQUE DU SIDOBRE. *L'étude du massif du Sidobre nous a révélé l'existence autour du granite d'une zone schisteuse à caractères spéciaux dite zone à micaschiste. Dans le S.-E. de la même région (Anglès) et dans la Montagne Noire la carte géologique (fig. 1) indique la présence d'une nouvelle roche : le gneiss.*

*Micaschistes et gneiss définissent une troisième catégorie de roches, les roches métamorphiques ou cristallophylliennes.*

## I. Caractères des roches métamorphiques.

### A. Schistes micacés.

Il en existe plusieurs variétés. Certains ont l'aspect des schistes normaux, c'est-à-dire sont formés de feuillets d'argile, mais on y observe par places des cristaux soyeux d'une variété de mica, la séricite.

D'autres échantillons renferment à la place de la séricite un autre minéral de composition différente, l'andalousite.

Les vrais micaschistes peuvent être décrits comme formés par une superposition régulière de zones constituées par des cristaux de quartz et de zones faites de lamelles de mica.

### B. Gneiss.

C'est une véritable roche cristalline comportant les mêmes cristaux que le granite, mais son aspect feuilleté est dû à la disposition en lits parallèles des paillettes de mica.

On peut donc définir ces roches essentiellement par leur structure : les éléments constituants présentent une disposition ordonnée en feuillets assez régulièrement parallèles (d'où le nom de cristallophylliennes). Les plus typiques (gneiss, micaschistes) sont formées de cristaux comme les roches éruptives. Les schistes à séricite et à andalousite ressemblent à des schistes argileux sédimentaires dans lesquels se sont formés des minéraux spéciaux appelés silicates de métamorphisme.

## 2. Gisements du Sidobre.

La zone de schistes micacés dessine une auréole autour du massif granitique du Sidobre. Elle occupe donc une position intermédiaire entre les roches éruptives franches (granite) et les roches sédimentaires (schistes normaux).

Dans cette disposition en auréole nous remarquons la gradation suivante : au contact du granite la roche est nettement feuilletée et formée de lits de cristaux superposés. A quelques dizaines de mètres plus loin, la disposition des cristaux devient plus irrégulière et l'on passe insensiblement à des schistes normaux par disparition progressive des cristaux.

Nous pouvons faire une constatation analogue dans la région d'Anglès : des gneiss s'observent au contact du granite; des schistes micacés au contact des schistes sédimentaires.

Le petit lambeau de schiste enclavé au nord de Ferrière présente aussi une auréole métamorphique le séparant du granite.

## 3. Origine.

Les roches métamorphiques ne se forment pas actuellement sous nos yeux. Nous devons faire une hypothèse pour expliquer leur genèse.

*a.* L'étude du gisement permet de constater qu'une roche métamorphique ressemble beaucoup à une roche éruptive au contact de cette dernière; elle est par contre assez semblable à une roche sédimentaire au contact de celle-ci.

*b.* Dans la région étudiée on n'a trouvé de fossiles ni dans les gneiss ni dans les schistes micacés; mais des Trilobites ont été signalés dans certains gneiss de Norvège et les schistes lustrés des Alpes ont fourni des Bélemnites. En fait, ces fossiles sont déformés et leur surface lisse, fondue, rappelle celle d'objets ayant subi l'action des laves volcaniques comme ceux découverts à Pompéi ensevelis sous les cendres du Vésuve. On peut donc penser que la chaleur a joué un rôle dans la formation des roches métamorphiques.

*c.* Si l'on compare la composition chimique des schistes sédimentaires et des schistes métamorphiques, on retrouve dans l'ensemble les mêmes constituants (silice, alumine, fer) mais sous des formes différentes et notamment sous forme de cristaux dans les schistes métamorphiques.

On peut donc admettre que les roches métamorphiques sont d'anciennes roches sédimentaires transformées au contact d'un magma éruptif en voie de cristallisation, donc encore à haute température; des vapeurs ou fumerolles se dégagent du magma et, s'infiltrant dans les sédiments, y apportent de nouvelles substances chimiques qui, par refroidissement, donneront les minéraux de métamorphisme. Naturellement la transformation de la roche sédimentaire sera d'autant plus accentuée qu'elle se trouvait plus près du foyer.

Donc, dans ce premier cas de métamorphisme, on peut dire que la roche sédimentaire a fourni la matière tandis que la roche éruptive a constitué le foyer.

## Autres exemples de métamorphisme

De nombreux cas de métamorphisme de contact peuvent s'observer dans les différentes régions montagneuses de France.

*a)* Dans les *Vosges.* Entre le granite de Andlau-Hohwald et les schistes de Steige une série métamorphique analogue à celle du Sidobre mais plus complète a été décrite par le géologue Rosenbusch, qui, en partant de cette étude, a imaginé l'explication du métamorphisme de contact exposé précédemment.

*b)* Le massif de *Flamanville* (Manche) montre une intercalation de micaschiste entre granite et schistes sédimentaires et une zone de quartzite (grès à ciment siliceux cristallisé) au contact de grès sédimentaires.

*c)* Dans les *Pyrénées,* des massifs granitiques inclus dans une zone calcaire présentent à leur périphérie des cipolins (roche formée de cristaux de calcite avec parfois des lits de micas intercalés).

Donc suivant la nature de la roche sédimentaire transformée nous obtenons des roches métamorphiques différentes : au contact des schistes, toute une série de schistes micacés, schistes à minéraux de métamorphisme; au contact de grès, des quartzites; au contact de calcaires, des cipolins. De sorte qu'autour d'un massif granitique étendu on peut en obtenir toute une variété, un véritable complexe métamorphique *(fig. 4).*

Un complexe métamorphique autour d'un massif granitique.

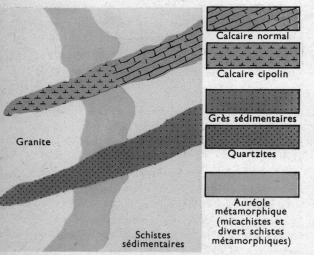

Calcaire normal

Calcaire cipolin

Grès sédimentaires

Quartzites

Auréole métamorphique (micaschistes et divers schistes métamorphiques)

Granite

Schistes sédimentaires

---

*RÉSUMÉ*

● *Les gneiss et micaschistes sont caractérisés par leur structure cristalline et la disposition des cristaux en lits parallèles.*

● *Ils proviennent de la transformation ou métamorphisme de roches sédimentaires.*

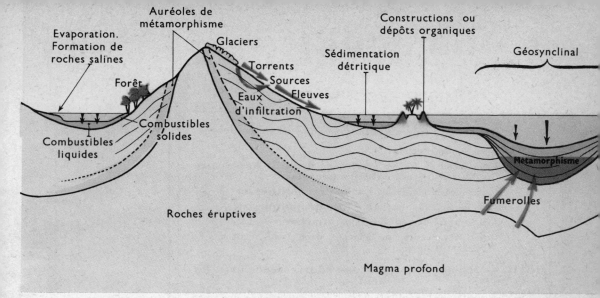

Evaporation.
Formation de
roches salines

Auréoles de
métamorphisme

Glaciers

Constructions ou
dépôts organiques

Géosynclinal

Forêt

Torrents

Sources

Fleuves

Sédimentation
détritique

Eaux
d'infiltration

Combustibles
liquides

Combustibles
solides

Roches éruptives

Métamorphisme

Fumerolles

Magma profond

1  Schéma indiquant la disposition et l'origine des diverses sortes de roches.

# 9 Conclusion à l'étude des roches

|  | ÉRUPTIVES OU MAGMATIQUES | SÉDIMENTAIRES | MÉTAMORPHIQUES |
|---|---|---|---|
| Caractères | *Cristaux* juxtaposés ou cristaux enrobés dans une matière amorphe. | Non cristallines, ou formées de cristaux semblables et de même nature chimique. | Cristaux en lits parallèles. |
| Fossiles | Pas de fossiles. | Nombreux fossiles. | Parfois des fossiles déformés ou à surface fondue. |
| Gisements | Dans les régions montagneuses : massifs, dômes, aiguilles ou coulées. | Dans les régions montagneuses : couches plissées. Dans les bassins : assises horizontales ou peu inclinées. | En auréole autour des massifs cristallins. Vastes surfaces dans les régions plissées. |
| Origine | *Interne :* Un temps de cristallisation en profondeur ou deux temps de cristallisation (un en profondeur, un en surface). | *Externe :* Détritique. Organique. Chimique. | *Mixte :* Roches sédimentaires transformées au contact d'un magma éruptif. |

Les diverses catégories de roches.

# LES ROCHES EN FRANCE

## COMMENT RECONNAITRE :

**LES PRINCIPALES ROCHES SÉDIMENTAIRES**

**ROCHES CALCAIRES**

● **A. — Roches faisant effervescence avec les acides.**

Roche tendre : **craie.**

Roche riche en fossiles : **calcaire coquillier, calcaire à Nummulites, calcaire grossier.**

Roche formée de grains : **calcaire oolithique.**

Roche compacte : **calcaire lithographique.**

Roche formée de petits cristaux : **marbre.**

Roche très tendre, se délayant dans l'eau (contient de l'argile) : **marne.**

● **B. — Roches ne faisant pas effervescence avec les acides.**

**Rayant le verre et l'acier. ROCHES SILICEUSES**

*a)* Roches formées d'éléments distincts :

| éléments isolés. | éléments consolidés par un ciment. |
| --- | --- |
| **Rochés** | |
| **meubles** | **Roches consolidées** |
| - volumineux : **galets** | **conglomérat** |
| - moyens : **graviers** | **poudingue** |
| - fins : **sable** | **grès.** |

*b)* Roches compactes, souvent en rognons : **silex.**

*c)* Roches compactes ou vacuolaires : **meulière.**

**Ne rayant pas le verre**

1. Non cristallines, rayées à l'ongle. ROCHES ARGILEUSES :

Roche faisant pâte avec l'eau : **argile.**

Roches cohérentes, feuilletées : **schiste et ardoise.**

2. Parfois cristallisées, solubles dans l'eau, ROCHES SALINES :

Peu solubles, formant une poudre blanche si on les chauffe : **gypse.**

Très solubles dans l'eau : **sel gemme et sels de potasse.**

3. Brunes ou noires, brûlant plus ou moins aisément. Ce sont les ROCHES COMBUSTIBLES :

Roches solides { spongieuses : **tourbe.** / aspect de bois carbonisé : **lignite.** / aspect de pierre noire : **houille.**

Roches liquides : **pétrole.**

---

**LES ROCHES MAGMATIQUES**

| Origine ↓ gisement texture | Minéraux essentiels → | Roches contenant | | |
| --- | --- | --- | --- | --- |
| | | feldspath potassique | | *feldspaths calco-sodiques* |
| | | *avec du quartz* | *sans quartz* | |
| I. Roches de profondeur, se présentant en massifs | texture *grenue* | **Granite** Granulite | **Syénite** | **Diorite et Gabbro** |
| II. Roches volcaniques ou d'épanchement formant des dômes ou des coulées | texture *micro-lithique* | **Rhyolite** | **Trachyte** Phonolite | **Andésite et Basalte** |

**Répartition des principales roches**

Craie

Calcaires et marnes

Sables et calcaires de la Région Parisienne

Sables et grès

Argiles et schistes

Molasses d'Aquitaine

Alluvions du Rhône, de la Saône et du Rhin

Roches granitiques

Roches volcaniques

Roches métamorphiques *(gneiss, micachistes, schistes lustrés)*

**Roches combustibles**

Houille

1 Bassin du Nord 48 %
2 Lorraine　24 %
3 Le Creusot
4 St-Etienne
5 Alès
6 Graissessac
7 Carmaux　} 28 %
8 Decazeville
9 Auvergne
10 Commentry
11 La Mure

① Lor
② No
③ An
④ Pyr

P
Po
Bx
Sel

Echelle 1/5 000 000

0 km 50

MANCHE

Flandre

Boulonnais

Anzin

Escaut

ARDENNE

Sommme

Picardie

Oise

Longwy

Briey

①

Pays de Caux

Pays de Bray

Oise

Marne

Meuse

Sarre

Sel

Lorraine

Meurthe

Moselle

Caen

Orne

②

Sarthe

Seine

Eure

Beauce

Brie

Fontainebleau

Aube

Seine

Champagne

Nancy

Vilaine

Rennes

③

Mayenne

ARMORICAIN

Loir

Touraine

Loire

Cher

Sologne

Yonne

Bourgogne

Saône

Morvan

3

Doubs

Rhin

Mulhouse

Po

VOSGES

ALSACE

JURA

Vendée

Indre

Berry

Loire

Allier

Bresse

Ain

Saône

Rhône

Mt Blanc

Ré

Oléron

Poitou

Marche

Creuse

10

Vienne

Limousin

Charente

Périgord

MASSIF

Chne des Puys

9

Cantal

CENTRAL

4

le Puy

Drôme

Isère

Belledonne

Arc

11

Pelvoux

Drac

ATLANTIQUE

Landes

P
Parentis

Garonne

Dordogne

Quercy

Lot

Aveyron

Tarn

8

Causses

Cévennes

Ardèche

Durance

ALPES

Mercantour

Var

Adour

Lacq
P

St-Marcet
P

Garonne

Aude

Languedoc

6

Bx

Camargue

Crau

Durance

Verdon

Provence

Brignoles

Bx

Maures

I. d'Hyères

93 %
5 %
1,5 %
0,5 %

PYRÉNÉES

Bx

Canigou

④

Roussillon

MER

MÉDITERRANÉE

CORSE

2 Une ria sur la
côte bretonne
à Plougastel-
Daoulas.

## I. Influence sur le relief.

Nous avons aussi noté l'influence des diverses roches sur le relief. Dômes ou aiguilles cristallins, barres calcaires dont la superposition a donné des falaises; étendues plates de sable et d'argile. La diversité des côtes de France s'explique par la nature des roches constituantes, et, si nous les parcourons rapidement, nous pouvons observer : les côtes plates parsemées d'étangs et de polders de la Flandre; les falaises

3 Un paysage industriel : le groupe minier d'Hénin-Liétard.

4 La côte
découpée de
l'Esterel.

crayeuses du pays de Caux et de la Normandie; les côtes déchiquetées montrant
une série de caps, de golfes et de plages
de la Bretagne cristalline; les grandes
plages sableuses de l'Atlantique et notamment des Landes; les côtes plates du Languedoc avec de grands étangs. Enfin, la
variété des côtes de Provence : les barres
de calcaire dur dans lesquelles sont creusées
les calanques de Marseille, les massifs
cristallins des Maures et de l'Esterel, dont
le porphyre rouge donne tout son pittoresque à ce coin de la Côte d'Azur.

## 3. Influence sur la géographie éco-
nomique et humaine.

Les roches, en bien des régions, se trouvent
à la surface du sol; elles affleurent (calcaire
des Causses, sable des Landes, argile de
Sologne). Ailleurs, elles sont recouvertes
par la terre végétale qui supporte la végétation et dont l'épaisseur est très variable.
La nature chimique de cette terre est due
cependant en partie à la nature des roches
situées en dessous. C'est ainsi qu'on aura
un sol siliceux au-dessus des sables et des
roches cristallines, un sol argilo-calcaire
au-dessus des marnes, etc.

D'autre part, chaque plante a ses exi-
gences, certaines préférant un sol riche en
chaux, d'autres un sol plus riche en silice,
enfin l'argile formant un niveau imperméable
conservera l'eau nécessaire à la croissance
des végétaux, tandis qu'un sous-sol trop
perméable ne portera qu'une végétation
clairsemée.

Nous avons noté, par exemple, dans la
région parisienne la localisation des forêts
sur diverses assises de sables et de grès.
Ailleurs la lande (Bretagne) ou le maquis
(Corse) représentent la végétation caractéristique des sols siliceux.

Par contre, le terme de garigue désigne
des étendues calcaires, à maigre végétation,
fréquentes dans le Midi de la France.

**Les aptitudes agricoles** du sol dépen-
dront donc de sa composition, c'est-à-dire
en partie de la nature des roches.

Dans la région parisienne, de la Loire à
la frontière du Nord et de la Normandie à
la Champagne, une épaisse couche de limon
donne un sol convenant à des cultures
riches; ce sont des terres à blé et à betterave.

Les sols siliceux de Bretagne et du massif
Central manquant de chaux ne permettent
que des cultures pauvres (seigle, sarrasin)
mais, par contre, portent de riches prairies,

d'où la prépondérance de l'élevage des animaux de boucherie.

La région de l'Est offre aussi un exemple saisissant :

Les terres lourdes (marnes, argiles de la Moselle, des Ardennes) durcies par la sécheresse, difficiles à labourer, portent des prairies marécageuses convenant à l'élevage.

Les terres légères, surtout calcaires, et formant des coteaux, conviennent à la culture de la vigne (crus de Bourgogne, de Champagne, d'Alsace).

Les alluvions et limons de la plaine d'Alsace permettent une gamme de cultures très variées.

Dans les régions à vocation agricole, la population est disséminée dans des fermes; les agglomérations, en général peu importantes, constituent surtout des marchés régionaux.

Mais voici un groupement humain tout différent : une région industrielle du Nord de la France. Le siège de Dourges dans le groupe d'Hénin-Liétard : au centre un terril (déblais résultant de l'extraction de la houille), tout autour des installations industrielles, une gare importante; dans le lointain la cité ouvrière faite de corons, petites maisons basses semblables, noircies par la fumée. On peut dire que c'est la roche abondante dans le sous-sol qui est responsable d'un semblable paysage. Et on le retrouverait plus ou moins semblable dans les autres régions industrielles du Nord et de l'Est : toujours la densité de population; la monotonie des habitations, l'importance des voies de communication, le terril, le chevalement de la mine.

Et puisque nous avons parlé de la construction, nous pourrions aussi constater que le matériau employé est le plus souvent celui qui abonde dans la région. Nous en avons donné quelques exemples lors de l'étude des calcaires — calcaire grossier de la région parisienne, calcaire corallien de Lorraine. La cathédrale de Strasbourg est faite de grès vosgien, celle de Limoges, l'abbaye du Mont-Saint-Michel de granite; toutes les églises d'Auvergne ont été édifiées avec des basaltes et des trachytes, tandis que dans les pays pauvres en pierres dures, la brique (argile cuite) constitue le matériau essentiel. (Saint-Sernin à Toulouse).

——————— EXERCICES D'OBSERVATION ———————

**1.** Prendre dans la collection du laboratoire un certain nombre de roches que l'on étudiera en consignant les observations dans un tableau.

| | Aspect | Dureté | Action acide | Action chaleur | Action eau | Fossiles | Détermination |
|---|---|---|---|---|---|---|---|
| Roche n° 1 | | | | | | | |
| — n° 2 etc. | | | | | | | |

**2.** En reprenant les observations faites au cours des leçons sur les roches, emplacer sur une carte de la région celles que l'on peut y noter, leur position respective. Essayer de vous représenter l'histoire géologique de votre région.

**3.** Préciser l'activité agricole de votre région et les matériaux employés pour la construction. Déterminer si ces caractéristiques s'expliquent par les variétés de roches que vous y avez reconnues.

┌─────────── *RÉSUMÉ* ───────────

● *L'étude des roches a fait apparaître :*
— *Leur diversité (quant à leur composition et leur origine) ;*
— *Leur influence sur le relief et l'aspect géographique du paysage ;*
— *Leur rôle dans le développement agricole et industriel ;*
— *Leur utilisation variée.*

# 10 Quelques minerais exploités en France

★ *Depuis plusieurs milliers d'années l'homme utilise les métaux pour la fabrication de ses armes et de ses outils. Au cours des derniers siècles, le développement du machinisme a entraîné un accroissement considérable des besoins en métaux. Aujourd'hui la puissance d'une nation se mesure à l'importance de son industrie métallurgique.*

*Les métaux ne se trouvent presque jamais à l'état pur dans le sol. (Exceptions : or, cuivre quelquefois.) Le plus souvent ils sont sous la forme de minerais. On appelle ainsi des roches d'aspects variés, souvent denses, présentant parfois un éclat brillant, métallique, ou bien au contraire une apparence terne, grisâtre ou couleur de rouille. Observez les photographies de la page ci-contre : elles vous présentent l'exploitation des principaux minerais qu'on trouve en France : ceux de fer, d'aluminium et d'uranium.*

*Les opérations de la métallurgie transforment ces minerais en métaux utilisés ensuite par les diverses industries.*

## I. Le fer.

Le fer n'est-il pas le plus important de tous les métaux? Vous connaissez un bon nombre d'objets, d'outils ou de machines dans lesquels le fer doux, ou plus souvent encore la fonte et l'acier, constituent l'essentiel. Les aciers spéciaux, comportant une faible proportion d'autres métaux : chrome, nickel, vanadium, etc., sont de plus en plus utilisés. L'industrie du fer, de la fonte et de l'acier est la *sidérurgie*. Son importance est la condition du développement industriel d'un pays.

En France, on exploite des minerais de fer en Normandie, non loin de Caen, où se trouve concentrée la sidérurgie normande. Mais la plus grande partie de la production sidérurgique française est assurée par le gisement ferrifère de Lorraine (90 %). Il s'étend à l'ouest du cours de la Moselle vers Metz et Thionville, depuis la région de Nancy jusqu'à la frontière belge et luxembourgeoise (*fig. 1*).

Les couches de minerai, au nombre d'une dizaine, se trouvent au sommet des marnes du Jurassique inférieur; elles affleurent dans les vallées, au pied des « Côtes de Moselle » et dans le vallon de l'Orne. On peut les atteindre par galeries ouvertes à flanc de coteau et aussi sous les calcaires du Jurassique moyen qui constituent les plateaux des régions de Longwy et de

**1** Le gisement ferrifère de Lorraine. Carte et coupe géologique du gisement.

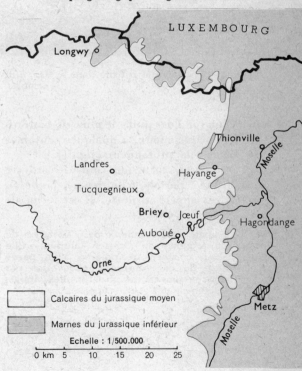

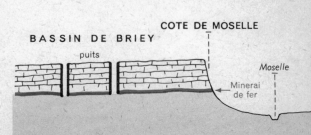

2   Une exploitation de bauxite dans le Var, à Brignoles. Remarquer la couleur rouge de la bauxite, le minerai d'aluminium.

Briey, au fond des puits de mine de Landres ou de Tucquegnieux, à quelques centaines de mètres de profondeur (*fig. 1*).

Le minerai, roche de couleur verdâtre ou noirâtre, parfois grise, brune, jaune ou rouge, est appelé **minette**. Il est formé de

3   La bauxite s'est constituée par l'altération de calcaires argileux du Crétacé inférieur. Elle forme des couches irrégulières à la partie supérieure de ces calcaires, recouvertes par des roches sédimentaires plus récentes, appartenant au Crétacé supérieur.

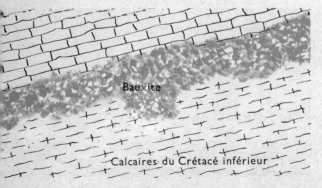

Bauxite

Calcaires du Crétacé inférieur

petits grains de la grosseur des œufs de poissons, les **oolithes**, unis par un ciment. On parle de **minerai de fer oolithique**. La teneur moyenne en fer des couches exploitées est d'environ 40 %. On y trouve des traces de phosphore. Le minerai est traité sur place, dans les hauts fourneaux de la vallée de la Moselle et de celle de l'Orne : Auboué, Jœuf, Hagondange, Hayange, etc. Il est transformé en fonte; pour obtenir une tonne de fonte il faut traiter environ 2 tonnes de minerai chauffé dans les hauts fourneaux, avec une masse égale de coke de houille. La fonte est ensuite transformée en acier dans les convertisseurs Thomas ou les fours Martin.

## 2. L'aluminium.

L'aluminium est un métal très léger dont les utilisations ont pris un développement considérable depuis le début du siècle. Songez à tous les objets en aluminium que vous pouvez observer à la maison et dans les magasins ! Les bicyclettes, aujourd'hui très légères, sont en **duralumin**, il en est de même pour le fuselage des avions. Le duralumin est un alliage à base d'aluminium (aluminium 95 %, cuivre 4 %, traces de magnésium et de silicium). Il est beaucoup plus dur et plus résistant que l'aluminium pur.

D'où vient l'aluminium? L'industrie le prépare en traitant une roche terreuse ou compacte, souvent de couleur rouge, la **bauxite**. On utilise aussi de plus en plus les terres rouges, ou **latérites,** des régions tropicales : Madagascar, Guinée, etc.

La bauxite est appelée ainsi parce qu'elle a été découverte en 1821, près du village des Baux, dans les Alpilles, non loin d'Arles. Elle se présentait là dans des poches, au sein des calcaires durs qui donnent à cette région son caractère si pittoresque. Elle est très activement exploitée aujourd'hui dans le département du Var. Quelques gisements sont aussi en exploitation dans l'Hérault et dans l'Ariège.

Dans ces exploitations, la bauxite se présente en couches irrégulières, de plusieurs mètres d'épaisseur, reposant sur des calcaires du Crétacé inférieur. Elles sont recouvertes par des calcaires du Crétacé supérieur (*fig. 4*).

L'observation de la formation actuelle des latérites dans les régions tropicales permet de comprendre comment se sont formées les bauxites. Elles résultent de l'altération superficielle des calcaires du Crétacé inférieur, au cours d'une période d'émersion au Crétacé moyen, sous un climat de caractère tropical, avec alternance d'une saison humide et d'une saison sèche. Les eaux de pluie ont dissous le calcaire, laissant sur place un résidu argileux, les argiles de décalcification; celles-ci, altérées à leur tour, ont été appauvries en silice. La latérite est en effet essentiellement formée d'hydrate d'alumine; il en est de même pour la bauxite qui peut être considérée comme une latérite ancienne. La grande richesse de ces roches en hydrate d'alumine explique leur exploitation comme minerai d'aluminium.

4 Les principaux gisements d'uranium en France : ils sont tous localisés dans les massifs granitiques.

### 3. L'uranium.

L'uranium est un élément radio-actif, c'est-à-dire une substance qui émet spontanément des rayons particuliers désignés par les lettres grecques $\alpha$, $\beta$, $\lambda$. Cette émission correspond à une désintégration radio-active qui se traduit par une libération considérable d'énergie. C'est cette énergie qui est captée et utilisée dans les piles atomiques comme celle de Saclay (S.-et-O.) et dans les générateurs où elle est transformée en électricité comme à Marcoule (Gard). Le principal minerai d'uranium est la *pechblende*.

La France est, avec l'Allemagne et la Tchécoslovaquie, le principal producteur d'uranium parmi les pays de l'Europe occidentale. Hors d'Europe, le Congo, les Etats-Unis d'Amérique, le Canada et l'U.R.S.S. sont également riches en gisements uranifères.

Dans notre pays, dès sa création, en 1946, la « Direction des Recherches et Exploitations minières » du Commissariat à l'Energie atomique a entrepris l'inventaire des ressources en minerai radio-actifs dans la métropole et dans les pays de la

Communauté. Quatre divisions minières existent actuellement sur le territoire métropolitain.

1. En Saône-et-Loire, la division de Grury exploite des pechblendes associées à des filons siliceux qui sillonnent les granites porphyroïdes à grands cristaux d'orthose qui constituent la bordure méridionale du Morvan.

2. En Auvergne, les gisements uranifères sont surtout localisés dans les monts du Forez, à l'Est et au Sud-Est de Vichy. A Lachaux et à Limouzat les minerais uranifères sont aussi localisés dans des filons siliceux au sein des granites du Forez.

3. Dans le Limousin, la région uranifère s'étend sur une trentaine de kilomètres, au nord de Limoges. Deux groupes d'exploitation de la pechblende sont centrés, au Sud, autour de la mine de La Crouzille, et au Nord, de part et d'autre de la vallée de la Gartempe, autour de Bessines. Nous avons là des filons de pechblende encaissés dans le granite; le minerai est d'une richesse exceptionnelle, surtout à La Crouzille. Les minerais uranifères sont traités et concentrés à l'usine de Bessines-sur-Gartempe.

4. La division de Vendée couvre une série de gîtes uranifères situés aux confins des départements de la Vendée, de la Loire-Atlantique, du Maine-et-Loire et des Deux-Sèvres. Les plus importants se trouvent dans le secteur de Clisson (mine de l'Ecarpière) et de Mortagne-sur-Sèvre. Les minerais d'uranium y sont encore localisés dans de nombreux filons sillonnant les granites du massif vendéen. Ils sont rassemblés et concentrés à l'usine de l'Ecarpière.

Les minerais extraits sont concentrés sur place, ce qui augmente leur richesse en uranium. Les produits ainsi enrichis sont alors rassemblés à l'usine du Bouchet, dans la région parisienne. Là sont préparées les barres d'uranium destinées à l'équipement des piles et des générateurs atomiques.

--------- TRAVAUX PRATIQUES ET EXERCICES ---------

**1.** Observer plusieurs échantillons de minette de Lorraine. Reconnaître les oolithes et le ciment.
**2.** Reproduire la carte et la coupe des gisements ferrifères de Lorraine.
**3.** Rechercher et collectionner des cartes postales et des documents sur l'industrie sidérurgique.

**4.** D'où peut provenir la houille nécessaire au traitement du minerai de fer de Lorraine ? - Par quelles voies ?
**5.** Observer un échantillon de bauxite.
**6.** Rechercher et collectionner des documents sur les minéraux radio-actifs et sur l'énergie atomique.

--------- *RÉSUMÉ* ---------

● *1. Les principaux minerais exploités en France sont les minerais de fer, d'aluminium et d'uranium.*

● *2. Le fer est surtout obtenu par le traitement, dans les hauts fourneaux, du minerai lorrain, exploité en galeries et en mines, dans les régions de Thionville, de Longwy et de Briey.*

● *3. L'aluminium provient du traitement de la bauxite, minerai terreux et rougeâtre surtout exploité dans le Var.*

● *4. Le minerai d'uranium est la pechblende. On la trouve dans les filons qui sillonnent les massifs de granite.*

# L'HISTOIRE DE LA TERRE

★ *Dans la première partie de cet ouvrage, nous avons appris à connaître les principales roches qui constituent l'écorce terrestre.*

*Il nous faut essayer, dans cette deuxième partie, de reconstituer l'histoire de la Terre et celle des êtres qui ont vécu à sa surface, celle des végétaux et des animaux qui prospéraient dans les océans et sur les continents durant les millions et les millions d'années qui constituent les temps géologiques.*

*Pour cela il faut étudier la nature et la disposition des roches, véritables monuments édifiés par la Nature, ainsi que les fossiles qu'elles contiennent, restes plus ou moins bien conservés des êtres qui vivaient au moment même où ces roches se constituaient.*

## 11 Les méthodes de la Géologie historique

★ *Comme l'histoire des Hommes, l'histoire de la Terre exige que l'on établisse l'ordre de succession des événements au cours des temps ; c'est ce que l'on appelle dresser une chronologie.*

*Sur quelles observations les géologues ont-ils établi une chronologie géologique? C'est ce qu'il nous faut d'abord préciser.*

### I. L'observation des couches sédimentaires. La stratigraphie.

L'étude des *roches sédimentaires* nous a montré, dans les falaises et les carrières, que ces roches étaient disposées en couches parallèles, superposées, appelées *strates* : ce sont des roches stratifiées, et la disposition des strates constitue la stratification. L'étude de la succession des strates constitue la *Stratigraphie*.

Regardez bien la magnifique succession de strates que nous présente la grande carrière de Cormeilles-en-Parisis. En bas de l'exploitation les couches jaunâtres sont constituées par le gypse qui sera transformé en plâtre (*v. p. 44*); au-dessus, des couches bleues, blanches, brunes, puis vertes sont formées par la série des marnes supragypseuses utilisées pour la fabrication du ciment; enfin, au sommet, des sables, les sables supérieurs de la région parisienne, recouvrent ces marnes.

Il est logique de penser que, dans cette série, les couches de gypse, à la base, se

sont déposées les premières, et sont donc les plus anciennes, et que les couches de sable, au sommet, se sont déposées les dernières, et sont donc les plus récentes. Dans une série de couches superposées, les couches inférieures sont les plus anciennes, les couches supérieures sont les plus récentes, et les couches intermédiaires se sont déposées dans l'ordre même de leur superposition. C'est le *principe de superposition* qui constitue le principe de base de la Stratigraphie.

De proche en proche, de carrière en carrière, on a pu de cette façon relever, dans l'ensemble de la région parisienne, la série des roches stratifiées et en déduire la succession des périodes correspondant à leur dépôt. Au-dessus des sables supérieurs, les calcaires lacustres et les meulières de Beauce couronnent les buttes comme celles de Cormeilles ou de Montmorency; au-dessous du gypse on observe les marnes infragypseuses, puis les sables moyens, recouvrant eux-mêmes le calcaire grossier; celui-ci est superposé dans la région

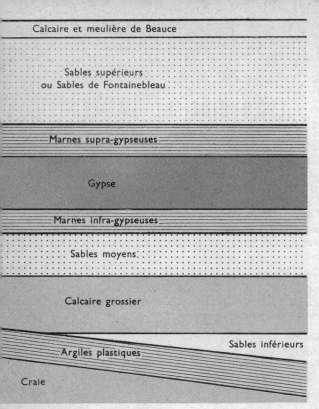

| Calcaire et meulière de Beauce |
|---|
| Sables supérieurs ou Sables de Fontainebleau |
| Marnes supra-gypseuses |
| Gypse |
| Marnes infra-gypseuses |
| Sables moyens |
| Calcaire grossier |
| Sables inférieurs / Argiles plastiques |
| Craie |

2  La série des strates de la région parisienne.

de Creil et celle de Pierrefonds, aux sables inférieurs qui recouvrent eux-mêmes l'argile plastique; la base de la série est partout représentée par la craie.

De toutes les couches de terrains visibles dans les environs de Paris, les calcaires lacustres et les meulières de Beauce représentent donc les formations les

plus récentes; et les formations que l'on rencontre au-dessous sont de plus en plus anciennes, jusqu'à la craie, à la base de la série.

Mais quelles sont les couches plus anciennes que la craie? Les forages profonds, creusés pour le captage des eaux artésiennes, les recherches pétrolifères ou le gazomètre souterrain de Beynes, permettent de les connaître. On les observe aussi, en affleurements, sur tout le pourtour de la « cuvette parisienne ». Vers l'Est, on retrouve la craie en Champagne; elle recouvre, en Champagne humide, des argiles et des sables qui, dans l'Argonne, recouvrent eux-mêmes les marnes et les calcaires de la Lorraine.

Ainsi, de proche en proche, de Paris jusqu'aux Vosges, on rencontre des couches qui se recouvrent partiellement les unes les autres. Les couches les plus récentes sont dans la région parisienne, les couches les plus anciennes sont au contact des granites des Vosges cristallines.

Si l'on reporte sur une carte les surfaces correspondant aux « affleurements » de chaque couche, on a établi la carte géologique de la région.

Ainsi, dans les diverses régions de France, dans le bassin d'Aquitaine et la vallée du Rhône, par exemple, ont été relevées des séries stratigraphiques locales, puis régionales et ont été établies les cartes géologiques correspondantes. Il en a été de

1  Dans la grande carrière de Cormeilles-en-Parisis. Les couches sédimentaires ou strates, horizontales et superposées.  ▶

3  L'ensemble des couches sédimentaires superposées, de Paris jusqu'aux Vosges. Où se trouvent les terrains les plus récents? Où peut-on observer les plus anciens?

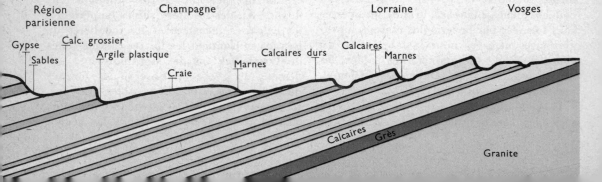

4 Les Ammonites dans un calcaire jurassique.

5 Le Cérithe géant du calcaire grossier de la région parisienne.

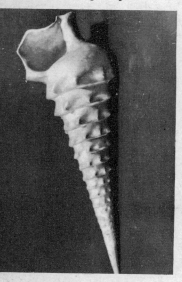

même en Belgique, en Allemagne et en Angleterre.

Il faut raccorder alors entre elles les diverses séries régionales. Parfois on peut suivre les couches d'un bassin sédimentaire aux bassins voisins, du Bassin parisien à la Belgique, par l'Artois et le Hainaut, ou bien au Bassin aquitain par la Touraine et le Poitou. On applique alors le *principe de continuité* des mêmes couches.

Mais pour les bassins éloignés et sans communications directes, ce sont les fossiles qui rendent les plus grands services aux géologues.

## 2. Les fossiles et la Paléontologie.

Les couches sédimentaires contiennent souvent des fossiles : ce sont des restes d'organismes, animaux ou végétaux, plus ou moins bien conservés. Nous avons signalé, dans les calcaires, des Oursins et des Huîtres, des Ammonites et des Bélemnites ; dans le calcaire grossier, des Nummulites et des Cérithes ; dans le gypse, des ossements ou des dents de Mammifères, dans les schistes houillers, des empreintes de Fougères ou d'autres végétaux.

Ces animaux et ces végétaux vivaient dans les eaux ou sur les continents à l'époque même où les sédiments dans lesquels ils sont englobés se sont déposés. Leurs cadavres, ensevelis dans les sédiments, ont été fossilisés.

### A. La fossilisation.

Dans certains cas particulièrement favorables, l'animal a pu être conservé entier et intact ; c'est ce qui s'est produit pour les Mammouths de Sibérie, enlisés dans les marécages de la toundra, et conservés comme dans un réfrigérateur, avec leur chair et leurs poils, dans un sol constamment gelé depuis une dizaine de milliers d'années. Les insectes enrobés dans l'ambre, résine fossilisée de Pins du début de l'ère tertiaire, sont aussi remarquablement conservés.

Mais ces conditions sont exceptionnelles et le plus souvent les Mammifères, animaux terrestres pour la plupart, exposés après leur mort à une décomposition rapide à l'air libre, se sont trouvés dans de mauvaises conditions de fossilisation. Aussi ne trouve-t-on, et encore bien rarement, que des squelettes comme celui figuré ci-dessus (*fig. 6*), des os épars et surtout des dents, plus résistantes, fossilisés dans les calcaires lacustres, les argiles ou le gypse déposés dans des lacs ou dans des lagunes où les cadavres ont été entraînés par les eaux courantes. De nombreux ossements ont été aussi fossilisés dans les cavernes à l'ère quaternaire.

Parfois les coquilles des Mollusques et les tests des Oursins ont aussi été conservés intacts ; c'est le cas dans les faluns ou sables coquilliers du bassin de Paris, de la Touraine et du Bordelais où l'on trouve des coquilles comparables à celles que l'on peut recueillir sur les plages actuelles (*fig. 7*). Les gisements de ces faluns nous révèlent donc d'anciennes plages, d'anciens rivages.

Au contraire, dans les calcaires, par exemple, les *coquilles ont souvent disparu* ; elles ont été dissoutes par la circulation des eaux souterraines. On ne trouve plus alors, imprimée dans la roche, que l'empreinte de la coquille : c'est ce que l'on appelle le *moule externe*.

La coquille, avant d'être dissoute, a souvent été remplie par le sédiment vaseux qui s'y est consolidé et qui constitue alors un *moule interne* reproduisant le contenu de la coquille.

Les feuilles des plantes, les écorces des arbres de la forêt houillère ont aussi laissé leur empreinte sur les schistes et les grès houillers qui constituent ainsi de véritables « herbiers » de la flore carbonifère.

Toutes ces transformations si variées constituent la *fossilisation*.

### B. La Paléontologie.

L'étude des fossiles constitue une science particulière : la *Paléontologie* ; cette science nous procure de multiples renseignements du plus grand intérêt :

1. Elle nous fait connaître des *végétaux et des animaux aujourd'hui disparus* mais qui ont vécu au cours des temps géologiques : elle nous permet de nous représenter par exemple les végétaux de la forêt houillère, les Trilobites et les Poissons des mers primaires, les Ammonites et les grands Reptiles de l'ère secondaire, les ancêtres tertiaires et quaternaires des Mammifères actuels. Ainsi notre connaissance des êtres qui vivent aujourd'hui est complétée et éclairée.

2. Ces êtres disparus sont bien différents de ceux qui vivent aujourd'hui; leur étude permet de reconnaître une véritable *évolution progressive*, depuis les plus anciens qui soient connus jusqu'aux végétaux et aux animaux actuels.

3. Cette évolution a été plus ou moins lente. Dans certains groupes, l'évolution a été très rapide et les espèces n'ont eu qu'une brève existence. On ne trouve leurs restes fossilisés que dans certaines couches bien délimitées qu'elles caractérisent; ils

6  Un squelette complet de Rhinocéros à narines cloisonnées recueilli par le P. Teilhard de Chardin dans le lœss de Chine.

constituent ainsi des *fossiles caractéristiques* de ces niveaux, car ces espèces ont vécu seulement pendant la période correspondant au dépôt de ces couches. Les *fossiles caractéristiques* permettent ainsi de déterminer avec précision l'*âge des couches* dans lesquelles on les trouve. Ainsi trouve-t-on les Ammonites dans tous les dépôts marins de l'ère secondaire, mais seulement dans ces dépôts : *les Ammonites constituent d'excellents fossiles stratigraphiques, caractéristiques des sédiments marins de l'ère secondaire*.

4. La comparaison des fossiles avec les animaux actuels peut permettre de préciser les conditions géographiques du milieu dans lequel vivaient les êtres fossilisés.

Dans le calcaire de Beauce, par exemple, on trouve des Limnées, Mollusques vivant actuellement dans les eaux douces; ce calcaire est donc une formation lacustre. Les Huîtres, au contraire, indiquent des eaux marines peu profondes et des fonds vaseux. De tels fossiles sont appelés *fossiles de facies*, car ils sont liés aux caractères, à la physionomie, au *facies* du milieu où s'est déposée la couche qui les contient. De tels fossiles de facies permettent de préciser la répartition et l'étendue des eaux douces et des eaux marines, la position des rivages et la profondeur des mers, l'extension des océans et des continents. Ces renseignements sont précieux pour reconstituer les variations des rivages et les géographies successives au cours des temps géologiques. Cette géographie des temps anciens ou *Paléogéographie* peut être figurée sur des cartes paléogéographiques.

5. Certains fossiles procurent même de précieuses informations sur le climat de l'époque correspondante : les Coraux des calcaires secondaires indiquent des mers chaudes, les Palmiers des grès tertiaires révèlent un climat tropical, les Mammouths des alluvions fluviales sont la preuve de l'extension des glaciers quaternaires.

▼ 7 Coquilles fossiles dans un sable fossilifère ou falun.

### 3. Stratigraphie et Paléontologie : la chronologie géologique.

La craie des falaises normandes contient certains fossiles, Oursins et Bélemnites par exemple, que l'on retrouve dans la craie du Cap Blanc-Nez, et, par-delà le détroit du Pas de Calais, dans la craie des falaises de Douvres. Les mêmes fossiles peuvent être recueillis dans le Limbourg hollandais, vers Maestricht. Vers le Sud, les calcaires des falaises saintongeaises ou ceux qui forment les escarpements du cirque de Gavarnie contiennent des fossiles semblables. Ces fossiles, *caractéristiques d'un niveau de la craie*, permettent d'affirmer que toutes ces formations sont de même âge : *Crétacé supérieur*.

Les fossiles caractéristiques permettent donc de faire le raccordement, d'un bassin sédimentaire à un autre, ou même d'un continent à un autre, entre des *couches de même âge* séparées dans l'espace. Ces raccordements à longue distance ont permis de comparer entre elles, de synchroniser, les séries locales ou régionales relevées par l'observation stratigraphique.

La comparaison de nombreuses séries stratigraphiques relevées tant en France que dans les autres pays a permis d'établir la succession complète des terrains sédimentaires, rangés dans l'ordre de leur dépôt, depuis les plus anciens jusqu'aux

plus récents : c'est *l'échelle stratigraphique.*

Cet ensemble a été divisé en quatre séries de terrains déposées au cours de *quatre ères géologiques* successives. Ces séries ont elles-mêmes été subdivisées en *systèmes* et la durée correspondant à un système porte le nom de *période;* les systèmes sont subdivisés en *étages,* il y a, au total, environ quatre-vingts étages. Nous retiendrons seulement les ères et les périodes indiquées dans le tableau de la page 79, tableau qui représente la succession complète des terrains et ses principales subdivisions. Il constitue le *tableau chronologique de l'histoire de la Terre.*

Sur la carte géologique de la France, à l'échelle du millionième, des couleurs particulières représentent les terrains appartenant à chaque système; ces couleurs ont été notées sur le tableau de la page 79. Des couleurs analogues ont été utilisées dans la carte des pages 112-113.

## 4. L'âge de la Terre.

Depuis bien longtemps on cherchait à *évaluer en années* les principales subdivisions des temps géologiques. Mais ce problème paraissait insoluble. La découverte des *éléments radio-actifs* comme le Radium et l'Uranium et la connaissance de leurs propriétés a permis de trouver une solution.

**L'Uranium** se *désintègre spontanément,* c'est-à-dire qu'il se décompose *en émettant des radiations* et *se transforme en d'autres corps.* Après avoir donné toute une série d'éléments intermédiaires, *il aboutit finalement au Plomb, qui est stable.*

La vitesse de la désintégration de l'Uranium a été déterminée : on sait qu'il faut 4 500 millions d'années pour qu'une certaine quantité d'Uranium ait perdu la moitié du nombre de ses atomes en se transformant en Plomb; c'est ce que l'on appelle *la période* ou demi-vie de cet élément radio-actif.

En analysant une roche et en déterminant le rapport existant entre la masse du Plomb ainsi formé et la masse de l'Uranium restant, il est possible de calculer la durée pendant laquelle s'est effectuée la désintégration radio-active, c'est-à-dire de déterminer l'âge de la roche. On a ainsi reconnu que certaines roches existaient depuis 3 milliards d'années.

De nombreuses mesures ont permis d'évaluer l'âge des principales couches sédimentaires et de compléter alors le tableau de la division des temps géologiques en indiquant, en face de chaque grande coupure, quelques dates du passé évaluées en millions d'années, en considérant que la période historique correspond au temps 0.

## 5. L'âge des plissements et des chaînes de montagnes.

Les couches sédimentaires considérées dans les pages précédentes sont restées sensiblement horizontales ou légèrement inclinées dans les bassins où elles se sont déposées. On dit qu'elles forment une *série concordante.*

Dans les chaînes de montagnes, de telles séries sont souvent redressées et plissées. Peut-on préciser l'âge des plissements? Il est bien évident que les couches ainsi redressées ou plissées étaient déposées avant que le plissement se produise.

Au contraire, les couches que l'on observe en séries horizontales et qui forment une *série discordante* sur la série redressée se sont déposées après le plissement.

*Le plissement est donc postérieur au dépôt des couches redressées et antérieur au dépôt des couches horizontales discordantes sur les couches plissées.* Il s'est produit entre le dépôt des deux séries dont les strates sont bien datées par les fossiles qu'elles contiennent *(fig. 8).*

Ainsi, on observe dans les Alpes que les terrains secondaires et ceux du début de la série tertiaire sont plissés alors que les terrains attribués à la fin de la série ter-

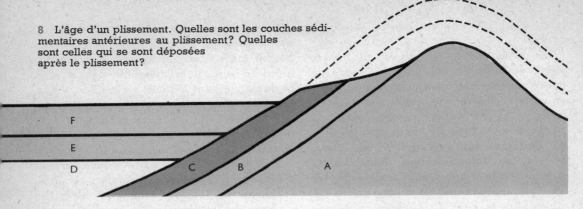

**8** L'âge d'un plissement. Quelles sont les couches sédimentaires antérieures au plissement? Quelles sont celles qui se sont déposées après le plissement?

tiaire sont horizontaux; on peut donc affirmer que le *plissement alpin* s'est produit vers le milieu de l'ère tertiaire. Dans le bassin houiller du Nord, les terrains primaires sont plissés et recouverts par les terrains secondaires horizontaux; le plissement s'est donc produit à la fin de l'ère primaire : c'est le *plissement hercynien*.

--- **EXERCICES D'OBSERVATION** ---

**1.** Observez, dans une carrière ou une tranchée de route, la superposition des couches. Dessinez l'ensemble des strates.

**2.** Recherchez des fossiles dans ces strates. Précisez bien la couche dans laquelle ils se trouvaient. Essayez de reconnaître s'ils sont des restes d'animaux marins ou d'eau douce en les comparant aux animaux étudiés en 5e.

**3.** Après avoir bien étudié une couche déterminée, un sable riche en fossiles par exemple, ou une couche d'argile ou un banc calcaire, essayez de reconnaître cette couche caractéristique (couche repère) dans les diverses carrières de votre région.

**4.** Reportez sur une carte de la commune ou de la région, avec une couleur de votre choix, les « affleurements » de cette couche. Vous aurez ainsi établi une première carte géologique.

**5.** Opérez de même pour la couche qui se trouve au-dessus de cette couche-repère, puis pour la couche qui est au-dessous. Votre carte sera ainsi de plus en plus détaillée.

**6.** Observez la carte géologique de France, puis des cartes géologiques de votre région et situez votre région dans l'ensemble de la géologie de la France.

--- *RÉSUMÉ* ---

● *C'est par l'observation des couches sédimentaires ou strates que l'on peut reconstituer l'histoire de la Terre. Dans une série de strates, celles qui sont à la base sont les plus anciennes, celles qui sont au sommet sont les plus récentes. C'est le principe de superposition qui est le principe fondamental de la Stratigraphie.*

● *La Paléontologie étudie les fossiles, restes d'organismes animaux ou végétaux conservés dans les roches sédimentaires. Les fossiles nous font connaître de nombreuses espèces disparues ; de plus, les fossiles stratigraphiques permettent de raccorder des couches déposées à la même époque en des points éloignés.*

● *Stratigraphie et Paléontologie ont permis d'établir la succession complète des terrains, des plus anciens aux plus récents. Cet ensemble est divisé en quatre séries correspondant aux quatre ères géologiques.*

● *L'observation des couches stratifiées, de leur concordance ou de leur discordance a permis de fixer l'âge des différents plissements, donc des principales chaînes de montagnes.*

# Principales subdivisions des temps géologiques et terrains correspondants

*Consulter la carte géologique de la France en couleurs (v. p. 112-113) et la carte géologique de la France à l'échelle de 1/1 000 000.*

| ÈRES ET SÉRIES | PÉRIODES ET SYSTÈMES | COULEURS CORRESPONDANTES SUR LA CARTE GÉOLOGIQUE* | AGE EN MILLIONS D'ANNÉES[1] |
|---|---|---|---|
| | Période historique | | 0 |
| **Quaternaire** | Holocène / Pléistocène | *Blanc* | |
| | | | — 1 M. |
| **Tertiaire** | Pliocène / Miocène / Oligocène / Eocène | *Jaune clair* / *Jaune foncé* | |
| | | | — 60 M. |
| **Secondaire** | Crétacé / Jurassique / Trias | *Vert* / *Bleu* / *Violet* | |
| | | | — 200 M. |
| **Primaire** | Permien / Carbonifère / Dévonien / Silurien / Cambrien | *Brun* / *Vert foncé* | |
| | | | — 500 M. |
| **Antéprimaire** | Antécambrien | *Rose* | — 3 000 M. |

*N. B.* — Ce tableau, comme tous les tableaux de *stratigraphie*, doit être lu de *bas en haut*. C'est l'application du *Principe de superposition*.

1. On évalue l'âge de la Terre au moins à 3 milliards d'années ou 3 000 millions. Les nombres de cette colonne fixent approximativement le début des périodes géologiques par rapport au commencement de la période historique représenté par 0.

# 12 La vie à l'ère primaire

★ *On ne connaît guère de fossiles dans les terrains antécambriens. Les terrains les plus anciens contenant des fossiles bien déterminables sont considérés comme constituant la base des terrains primaires ; ils sont attribués au système Cambrien.*

*Dans la série des terrains primaires les fossiles sont déjà nombreux et variés ; nous avons signalé, en étudiant les roches, les végétaux de la forêt carbonifère et les Trilobites des schistes ardoisiers. Nous allons maintenant évoquer l'ensemble des êtres, Végétaux et Animaux, Invertébrés et Vertébrés, qui prospéraient à l'ère primaire.*

◄     1    La forêt carbonifère. (Essai de reconstitution, dessin de P. Sougy.)

## I. Les végétaux.

Les plus anciens végétaux connus sont des *Algues* et des *Bactéries*. A la base des terrains dévoniens, on a recueilli des empreintes de petites plantes qui rappellent les *Mousses*. Mais la flore des temps primaires est surtout bien connue par les empreintes trouvées dans les schistes et les grès formant le mur ou le toit des couches de houille. C'est un véritable « *herbier de la flore houillère* » qui a été ainsi constitué et conservé.

Les empreintes multiples et variées constituant cet « herbier » ont permis la reconstitution des végétaux de la forêt carbonifère dont vous voyez une évocation ci-contre. On a reconnu dans la flore houillère :

**A. Des plantes sans fleurs**, mais à racines, tiges et feuilles bien développées ; ce sont des *Cryptogames vasculaires* ; elles comprennent :

1. — *Des Lépidodendrons*[1] dont l'écorce nous montre des cicatrices losangiques ressemblant à des écailles (*fig. 2*) et des *Sigillaires*[2] dont l'écorce présente des cicatrices hexagonales ressemblant à un sceau (*fig. 3*). Lépidodendrons et Sigillaires étaient de grands arbres d'une trentaine de mètres aux extrémités couvertes de grandes feuilles qui, en tombant, ont laissé ces cicatrices sur les écorces.

2. — *Des Calamites*, sortes de prêles géantes, dont les tiges, hautes de 8 à 10 mètres, étaient creuses et recouvertes d'une écorce cannelée (*fig. 4*).

3. — *Des Fougères*, aux feuilles plus ou moins découpées (*fig. 5*) ; beaucoup étaient arborescentes, comme certaines fougères actuelles des régions tropicales.

---

1. *Lépidodendron :* du grec *lepis*, écaille et *dendron*, arbre.
2. *Sigillaires :* du latin *sigillum*, sceau.

▼ 2        ▼ 3        ▼ 4        ▼ 5

6 Cordaïtes.

**B. Des plantes singulières, à feuilles de Fougères,** mais dont les extrémités portaient des *graines ;* ces graines sont nues comme le sont celles des *Gymnospermes.*

Ces *Gymnospermes à feuilles de Fougères* représentent les plus anciennes plantes à fleurs ou *Phanérogames.* Elles constituent un groupe intermédiaire très intéressant, annonçant les véritables Phanérogames.

**C. Des Gymnospermes véritables,** plantes à ovules nus, donc à graines nues : ce sont les *Cordaïtes ;* on connaît leurs fleurs et leurs graines. Les Cordaïtes étaient des arbres d'une quarantaine de mètres portant de grandes feuilles rubanées aux nervures parallèles (*fig. 6*).

7 Graptolites.

Il n'y avait pas encore de plantes à ovules protégés ou *Angiospermes.*

La *flore carbonifère* était donc surtout constituée par de grands arbres appartenant à des groupes aujourd'hui disparus. La végétation luxuriante correspondait à un *climat chaud et humide.* Les forêts marécageuses actuelles des régions tropicales comme celles de la Louisiane ou de la Côte-d'Ivoire peuvent nous donner une idée des aspects que présentait la forêt carbonifère.

## 2. Les animaux sans vertèbres.

Parmi les fossiles des terrains primaires on trouve déjà des représentants des principaux groupes d'Invertébrés.

**A. Les Protozoaires** sont formés d'une seule cellule; ils étaient abondants dans les eaux, mais n'ont laissé que fort peu de restes fossilisés. Cependant, les calcaires carbonifères de Russie et de l'Extrême-Orient contiennent des *Fusulines* de la forme et de la grosseur d'un grain d'orge.

**B. Les Polypes** sont des animaux constructeurs de récifs. Les récifs de polypiers sont bien développés dans les calcaires dévoniens de l'Ardenne; on en retrouve jusqu'au Spitzberg. Au Dévonien, l'Europe septentrionale était donc couverte de mers peu profondes, aux eaux tièdes, comparables à celles des mers tropicales actuelles.

**C. Les Graptolites** (*fig.* 7). Sur les schistes on observe parfois des traces noires ou grises appelées Graptolites. Ce sont des empreintes où l'on découvre, à la loupe, des loges minuscules disposées le long d'une baguette. Les animaux sécrétaient ces loges; ils vivaient en colonies nombreuses flottant à la surface de la mer.

**D. Les Brachiopodes.** Ce sont des fossiles constitués par une coquille calcaire à deux valves, que l'on pourrait prendre pour une coquille de Lamellibranches (Moule). Mais chez les *Brachiopodes,* l'une des valves est ventrale et présente un crochet percé d'un trou par lequel sortait un pied qui permettait à l'animal de se fixer aux rochers; l'autre valve est dorsale et s'articule avec la valve ventrale par une charnière (*fig. 8*). A l'intérieur de la coquille on observe deux lames calcaires spiralées : elles supportaient deux « bras » couverts de cils vibratiles dont le mouvement provoquait un courant d'eau entraînant vers la bouche les particules alimentaires comme on a pu l'observer chez les rares Brachiopodes vivant encore dans les mers actuelles. Dans les mers primaires les Brachiopodes étaient abondants; les plus caractéristiques sont les *Spirifers* (*fig. 8*).

**E. Les Mollusques.** Ils sont surtout représentés par des *Céphalopodes* comme les *Nautiles* dont quelques espèces vivent encore aujourd'hui dans l'océan Indien. Leur coquille, enroulée en spirale, est formée d'une série de loges successives, progressivement croissantes, séparées par des cloisons dont la trace sur la coquille, ou ligne de suture, forme une courbe concave et régulière. L'animal habite la dernière loge, la plus grande, mais il est rattaché au fond de la première loge, ou loge initiale, par un tube ou siphon qui traverse toutes les cloisons (*fig. 10*). C'est en croissant que l'animal a successivement sécrété et habité les différentes loges. Des Nautiles semblables vivaient dans les mers de la fin de l'ère primaire. Ils avaient été précédés par des formes plus primitives, à coquille droite, les *Orthocères* (*fig. 9*).

A la fin de l'ère primaire sont aussi apparues les *Goniatites*, formes enroulées, à cloisons ondulées et à lignes de sutures sinueuses ou même anguleuses; elles annoncent les Ammonites de l'ère secondaire.

**F. Les Articulés ou Arthropodes.** On connaît déjà quelques *Insectes* aux caractères primitifs, mais les Arthropodes sont surtout représentés, à l'ère primaire, par les *Trilobites*, que l'on classe au voisinage des *Crustacés*.

*1. Les Trilobites.* Leur corps est divisé en trois parties, aussi bien dans le sens longitudinal où l'on distingue la tête, le thorax et le pygidium, que dans le sens transversal où un lobe médian, le rachis,

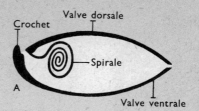

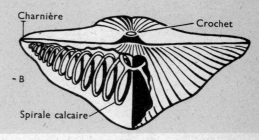

▲ 8  Brachiopodes. A : Schéma de la coquille bivalve. B : Spirifer.

▼ 9  Orthocère : coquille droite, sutures concaves. Goniatite : coquille enroulée, sutures ondulées.

▼ 10  Nautile actuel (coquille sciée).

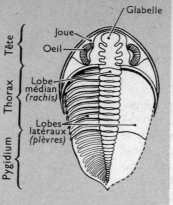

11  1. Trilobite.  2. Schéma de l'organisation d'un Trilobite.

fait saillie entre deux lobes latéraux aplatis, les plèvres (*fig. 11*).

La tête porte deux yeux sur les parties latérales, les joues, de part et d'autre du lobe médian renflé, la glabelle. A la face ventrale on observe une paire d'antennes et quatre paires de pattes-mâchoires, encadrant la bouche. Le thorax est formé d'anneaux articulés portant chacun une paire de pattes nageoires à la face ventrale. Le pygidium comprend une dizaine d'anneaux plus ou moins soudés.

Les Trilobites sont généralement de petite taille (2 à 5 cm); quelques-uns atteignent cependant 20 à 30 centimètres. Ces animaux vivaient dans la mer, nageant près du fond, rampant sur la vase ou même s'enfonçant dans le sable, comme font les crabes.

On trouve les *Trilobites* seulement *dans les terrains primaires*; ce sont des *fossiles caractéristiques* de ces terrains. On dit quelquefois que *l'ère primaire est l'ère des Trilobites*.

2. *Les Insectes.* Sur les schistes houillers, parmi les empreintes végétales, on a trouvé des empreintes d'*Insectes* qui vivaient dans la forêt carbonifère. On a reconnu des espèces que l'on peut rapprocher des Blattes, des Mantes et des Sauterelles et qui représentent de lointains ancêtres de ces formes actuelles. On connaît aussi des *Libellules* géantes (*fig. 12*), trouvées tout particulièrement à Commentry.

### 3. Les Vertébrés.

Les Poissons les plus anciens apparaissent vers le milieu de l'ère primaire; les Batraciens et les Reptiles à la fin de cette même ère.

**A. Les Poissons.** Les plus anciens poissons connus avaient la tête protégée par un bouclier formé de plaques osseuses; on les appelle *Poissons cuirassés* (*fig. 13*). Les tout premiers, les plus primitifs, possédaient une cuirasse formée d'une seule pièce, le bouclier dorsal, protégeant la tête et la partie antérieure du corps; ils n'avaient pas de mâchoires, leur bouche, ventrale, fonctionnait comme une ventouse, d'une manière analogue à celle des Lamproies actuelles : Ex. *Cephalaspis.*

Plus tard apparaissent des poissons cuirassés, dont la cuirasse comprenait plusieurs plaques osseuses articulées, et pourvus de mâchoires également articulées et portant des dents : Ex. *Pteraspis.* Enfin, apparaissent des Poissons non cuirassés, à

12  Une libellule du terrain houiller de Commentry.

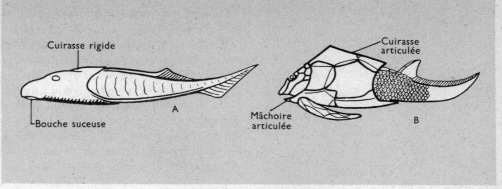

13 Poissons cuirassés.

14 Cœlacanthe.

squelette cartilagineux, lointains ancêtres des Requins actuels.

Au milieu de l'ère primaire, les premiers poissons à squelette ossifié font aussi leur apparition. Parmi eux s'en trouvent quelques-uns qui étaient tout à fait semblables aux *Cœlacanthes* découverts il y a quelques années vivant aujourd'hui dans les mers qui baignent les côtes de l'Afrique australe, Madagascar et l'Archipel des Comores (*fig. 14*). D'autres possédaient des nageoires pectorales soutenues par un squelette dans lequel on reconnaît déjà les os du bras et de l'avant-bras des vertébrés terrestres. On peut les considérer comme les ancêtres des Amphibiens ou Batraciens.

### B. Les Amphibiens ou Batraciens.

C'est dans les vieux grès rouges du Dévonien du Groenland que l'on a trouvé les restes des plus anciens vertébrés ter-restres. Ils avaient déjà quatre membres adaptés à la marche sur le sable ou la vase, mais leur queue formait une nageoire qui leur permettait les évolutions dans l'eau comme on peut l'observer chez les Tritons actuels.

On a recueilli, dans les terrains permiens de la région d'Autun, de nombreux restes fossilisés des Amphibiens de la fin de l'ère primaire. Certains de ces fossiles, de petite taille, paraissent être des larves ou têtards, à vie entièrement aquatique. On les appelle *Protritons* (*fig. 15*), quelques empreintes présentent des branchies externes. D'autres, atteignant un mètre de longueur, tels les *Actinodons*, étaient sans doute des adultes ; ils ressemblaient à de monstrueuses sala-mandres.

On connaît aussi, dans les terrains permiens des États-Unis, au Texas, des squelettes entiers d'énormes Batraciens,

15 Protriton des schistes permiens d'Autun.

longs de deux mètres, au crâne aplati et monstrueux, appelés *Eryops*, qui sont déjà beaucoup mieux adaptés à la vie terrestre (*fig. 17*).

## C. Les premiers reptiles.

Cette adaptation à la vie terrestre est complète chez les *Reptiles*, totalement libérés du milieu aquatique, parce qu'ils pondent des œufs pourvus d'une coque protectrice et qui se développent à l'air libre.

On a recueilli dans les terrains permiens de nombreux squelettes de Reptiles primitifs, mais c'est à l'ère secondaire que les Reptiles prendront un développement considérable et seront à leur apogée.

## 4. Les climats à l'ère primaire.

L'étude des caractères des fossiles des terrains primaires, des fossiles animaux comme des fossiles végétaux, ainsi que la répartition géographique de ces fossiles, nous permet de penser que les climats étaient alors autrement répartis à la surface du Globe qu'ils ne le sont aujourd'hui.

Des *mers chaudes* recouvraient des régions soumises maintenant à des climats polaires, le nord de la Sibérie ou le Spitzberg, par exemple : on y trouve en effet des *récifs coralliens*. Dans les régions de l'Europe moyenne s'accumulaient les dépôts houillers; il y régnait un climat tropical humide puisque, nous l'avons vu, la végétation carbonifère présente les caractères d'une végétation de marécage tropical.

Ces quelques exemples nous montrent que les observations géologiques permettent de reconstituer les conditions climatiques et de préciser leurs variations au cours des temps.

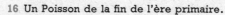

16 Un Poisson de la fin de l'ère primaire.

17   Un batracien des terrains permiens du Texas : l'Eryops.

## EXERCICES D'OBSERVATION

**1.** Observez des fragments de schistes et de grès houillers portant des empreintes végétales. Reconnaître et dessiner des feuilles de Fougères, des écorces ou des verticilles de Calamites, des écorces de Sigillaires et de Lépidodendrons avec leurs cicatrices foliaires caractéristiques.

**2.** Observez un Spirifer et distinguez la valve ventrale avec son crochet, la charnière et la valve dorsale.

**3.** Comparez un Orthocère et un Nautile; distinguez les loges, les cloisons et le siphon sur des exemplaires sciés suivant le plan de symétrie.

**4.** Dessinez un Trilobite. Précisez bien les lobes, tant dans le sens longitudinal que dans le sens transversal. Essayez de reconnaître les yeux.

## RÉSUMÉ

● *Les caractères essentiels des êtres vivants à l'ère primaire se résument ainsi :*

● *Les Végétaux sont représentés surtout par des plantes sans fleurs ou Cryptogames vasculaires; à la fin de l'ère primaire apparaissent les premières plantes à fleurs, à caractères primitifs, les Gymnospermes à feuilles de Fougères, puis les Gymnospermes vraies.*

● *Parmi les animaux invertébrés, la plupart des groupes actuels sont déjà représentés. Les principaux sont des Polypes constructeurs de récifs, des Brachiopodes comme les Spirifers, des Mollusques céphalopodes comme les Orthocères, les Nautiles et les Goniatites, des Arthropodes comme les Trilobites et les Insectes primitifs.*

● *Les animaux vertébrés étaient surtout représentés par des Poissons cuirassés et, vers la fin de l'Ere Primaire, par les premiers Batraciens et les premiers Reptiles.*

● *Les fossiles vraiment caractéristiques des terrains primaires sont, avec les végétaux de la flore houillère, les Trilobites parmi les Invertébrés et les Poissons cuirassés parmi les Vertébrés.*

# 13 La vie à l'ère secondaire

★ *Animaux et végétaux de l'ère primaire étaient, avons-nous vu, bien différents de ceux qui vivent aujourd'hui. De nombreuses espèces se sont éteintes à la fin des temps primaires. Elles ont été remplacées à l'ère secondaire par de nouvelles espèces, très variées, qui, dans l'ensemble, paraissent représenter des formes de passage, intermédiaires entre les êtres de l'ère primaire et ceux qui vivent dans la nature actuelle.*

## Les végétaux de l'ère secondaire

A la fin de l'ère primaire nous avons vu apparaître les premières plantes portant des graines : les Gymnospermes à feuilles de Fougère. A l'ère secondaire, les *plantes à graines* vont prendre une importance de plus en plus grande aux dépens des Cryptogames vasculaires.

### 1. Les Gymnospermes.

Les plus primitives sont les **Cycadées**, encore représentées de nos jours dans les forêts tropicales par des plantes à tige cylindrique ou globuleuse et ressemblant à des Palmiers nains, car elles portent au sommet un bouquet de feuilles en forme de palmes. Sur certains pieds, les feuilles terminales sont transformées en écailles portant des sacs polliniques remplis de grains de pollen, ce sont les pieds mâles ; d'autres, les pieds femelles, ont des feuilles dont les folioles de la base sont parfois transformées en ovules (*fig. 1*).

**Les Conifères**, dont les fleurs sont groupées en cônes, étaient déjà représentés par des formes primitives, ancêtres des Araucarias. Avec eux croissent déjà de

1 Une feuille de Cycas actuel, portant des graines à la place des folioles de la base.

véritables *Pins* et *Sapins*. Les Conifères ont alors une telle importance que l'on dit parfois que *l'ère secondaire est l'ère des Gymnospermes.*

### 2. Les Angiospermes.

Les plantes à graines protégées dans un fruit, les Angiospermes, apparaissent vers le milieu du Secondaire. Les *Monocotylédones* sont représentées notamment par des Palmiers et les *Dicotylédones* par des Magnolias et des Noyers, des Lauriers et des Figuiers. Les Angiospermes prennent une importance de plus en plus grande à la fin de l'ère secondaire.

## Les animaux de l'ère secondaire

Les Trilobites, si caractéristiques des terrains primaires, ont disparu. Il en est de même des Poissons cuirassés. En revanche, des groupes importants se maintiennent, mais sont représentés par des formes nouvelles. Parmi les Mollusques, les *Ammonites* et les *Bélemnites* sont *caractéristiques des terrains secondaires.* Chez les Vertébrés s'affirme la prépondérance des grands *Reptiles* qui règnent alors sur les continents et dans les eaux.

### 1. Les Invertébrés.

#### 1. Les Protozoaires.

Ils pullulent dans les mers. Ce sont surtout des *Foraminifères*, sécrétant une carapace calcaire. Ces carapaces accumu-

2 Une Encrine : remarquez la tige formée d'articles et le calice portant les bras repliés.

lées sur le fond ont contribué à la formation des roches calcaires et en particulier de la craie.

## 2. Les Polypes.

Ils continuent à prospérer dans les eaux tièdes. Les récifs coralliens sont nombreux dans les terrains jurassiques, tout particulièrement dans l'Est de la France, où on les retrouve dans les Côtes de Meuse et dans le Jura, ainsi que dans les Charentes.

## 3. Les Echinodermes.

Ce sont les Encrines et les Oursins.

A. *Les Encrines* sont parfois fossilisées avec leur tige et leur calice intacts (*fig. 2*). On trouve plus souvent les articles de la tige plus ou moins disloqués; ils forment les calcaires à entroques du Trias et du Jurassique.

B. *Les Oursins* sont abondants dans certains calcaires jurassiques et crétacés. On distingue :

*a*) Des Oursins réguliers, semblables à l'Oursin commun que l'on récolte sur nos côtes. Certains Oursins avaient leurs piquants remplacés par de longues baguettes que l'on trouve souvent isolées; elles ont appartenu à des *Cidaris*, analogues aux Cidaris qui vivent encore aujourd'hui dans les mers chaudes, au voisinage des récifs coralliens.

*b*) Des *Oursins irréguliers*, de forme ovale, avec l'anus en position postérieure ou ven-

3 Un oursin irrégulier commun dans la craie : Echinocorys. Observez sur la face dorsale les plaques du test et les pores ambulacraires, et sur la face ventrale la bouche ovale et l'anus circulaire.

trale, comme chez certains oursins qui vivent encore aujourd'hui dans le sable vaseux de quelques plages. Ils sont communs dans la craie, notamment les *Ananchytes* encore appelés *Echinocorys* (*fig. 3*).

### 4. Les Brachiopodes.

Les *Spirifers* ont disparu à la fin des temps primaires. Dans les terrains secondaires on trouve surtout des *Térébratules* à la coquille lisse et des *Rhynchonelles* à la coquille ornée de côtes (*fig. 4*).

### 5. Les Mollusques.

Les trois classes de Mollusques sont bien représentées dans les terrains secondaires.

*A.* Parmi les *Lamellibranches*, les Huîtres sont communes dans les terrains jurassiques et crétacés où elles forment parfois de véritables bancs comparables aux bancs d'huîtres de nos rivages atlantiques; c'est notamment le cas des *Gryphées*.

Mais les *Rudistes* présentent encore plus d'intérêt. Ce sont aussi des Bivalves, à coquilles très épaisses, ornées de côtes, rudes au toucher (d'où leur nom). Les deux valves sont très différentes l'une de l'autre. La valve inférieure, en forme de cornet, était fixée aux rochers, et la valve supérieure s'emboîtait comme une sorte de couvercle (*fig. 5*). Ces *Rudistes* pullulaient dans les eaux marines agitées et tièdes, et formaient parfois de véritables récifs. On les trouve surtout dans les terrains crétacés des Charentes et du Midi de la France.

*B.* Parmi les *Gastéropodes*, on peut remarquer les Nérinées dont la coquille épaisse comportait de nombreux tours enroulés en un cône très allongé.

*C.* Les *Céphalopodes*. Ce sont les Mollusques les plus importants et les plus caractéristiques. *L'ère secondaire* est l'ère des *Ammonites* et des *Bélemnites*.

● Les *Ammonites*. Leur coquille est enroulée en spirale comme celle des Nautiles et présente aussi des loges successives, mais ces loges sont séparées par des cloisons ondulées comme l'étaient celles des Goniatites primaires. Chez les *Ammonites*, ces cloisons deviennent plus compliquées et leur trace sur la coquille, ou *ligne de suture*, présente des dentelures profondes aux contours comparables à ceux d'une feuille de persil (*sutures persillées*) (*fig. 6*).

Animaux marins, nageant en pleine eau ou vivant près du fond, les Ammonites sont abondamment représentées par leurs coquilles dans tous les terrains secondaires, depuis le Trias jusqu'au Crétacé. Certaines ne sont guère plus grandes qu'une pièce de monnaie, d'autres atteignent 50 ou 60 centimètres de diamètre, les plus grandes dépassent 1 mètre. Ces grandes formes apparaissent à la fin du Crétacé. Il en est de même pour des formes singulières aux tours non jointifs (*Scaphites*), plus ou moins déroulés (*Hamites*) ou même tout à fait droites (*Baculites*). Ces *formes géantes ou bizarres annoncent la fin du groupe des Ammonites; elles disparaissent, en effet, à la fin de l'ère secondaire.*

● *Les Bélemnites.* On désigne sous ce nom des bâtonnets calcaires, en forme de cigare (*fig. 7*). Ils représentent la pointe, ou rostre, d'une coquille interne qui était comparable

4 Térébratule à coquille lisse. Rhynchonelle à coquille ornée de côtes. ▼

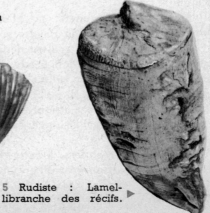

5 Rudiste : Lamellibranche des récifs. ▶

à un « os » de Seiche, et l'animal devait ressembler à une Seiche ou à un Calmar. Mais les rostres de Bélemnite atteignent 10 à 15 centimètres de longueur, et on peut en déduire que les Bélemnites pouvaient mesurer plusieurs mètres.

Les Bélemnites sont communes dans les terrains jurassiques ; on trouve les dernières dans la craie. *Comme les Ammonites, les Bélemnites sont strictement cantonnées dans les terrains secondaires. C'est pourquoi Ammonites et Bélemnites sont des fossiles caractéristiques de l'ère secondaire.*

## 2. Les Vertébrés.

### 1. Les Reptiles.

Apparus à la fin de l'ère primaire, les Reptiles se diversifient et s'épanouissent à l'ère secondaire. C'est alors qu'ils présentent les formes les plus variées en même temps que les tailles les plus gigantesques. Ils envahissent tous les milieux : les eaux, la terre ferme et même l'atmosphère. Ils présentent des adaptations remarquables à des genres de vie bien différents.

A. *Les reptiles marins ou nageurs.* Les *Ichthyosaures* (*fig. 8*), longs de plusieurs mètres, avaient un corps allongé en fuseau comme celui d'un poisson. La tête volumineuse, aux yeux énormes, se prolongeait par un museau effilé aux mâchoires armées de nombreuses dents pointues. Le dos portait une nageoire triangulaire, et la queue constituait aussi une nageoire puissante.

▲ 6  Deux Ammonites. Observez les lignes de suture fort compliquées sur le deuxième échantillon : sutures persillées.

▼ 7  Une Bélemnite sur une plaque calcaire.

8 Ichthyosaure.

Quant aux membres, ils étaient transformés en palettes natatoires.

Aussi parfaitement adapté à la vie aquatique qu'un Requin ou un Marsouin actuels, dont il présentait d'ailleurs la silhouette, l'*Ichthyosaure*, nageur rapide, était un carnassier redoutable qui chassait les Ammonites, les Bélemnites et les Poissons.

Les Plésiosaures avaient un corps massif prolongé par un long cou portant une petite tête. Leurs membres étaient aussi transformés en puissantes nageoires. Sans doute vivaient-ils non loin des rivages.

B. *Les Reptiles terrestres ou Dinosaures.* C'est parmi eux que figurent les géants du règne animal : les Gigantosaures atteignaient 40 à 50 mètres de longueur.

9 Iguanodon.

● Beaucoup étaient *herbivores*, tels le *Diplodocus*, découvert aux Etats-Unis et dont on peut voir un moulage dans la Galerie de Paléontologie du Muséum d'Histoire naturelle. Le corps massif, haut de 4 à 5 mètres, se prolonge en avant par un long cou portant une tête minuscule; une longue queue fait contrepoids à l'arrière. La longueur totale dépasse 25 mètres. Il devait vivre dans les marécages et brouter les plantes aquatiques.

Les *Iguanodons*, dont on a découvert une vingtaine de squelettes en creusant un puits de mine à Bernissart, en Belgique, près de la frontière française, atteignaient une dizaine de mètres. Ils avaient une silhouette de kangourou avec une longue queue et des pattes postérieures puissantes sur lesquelles ils se dressaient pour brouter les branches des arbres qu'ils atteignaient avec les membres antérieurs (*fig. 9*).

Le *Tricératops* ressemblait à un énorme Rhinocéros, long de 6 à 8 mètres, avec une tête énorme portant deux cornes effilées; une troisième corne, courte et massive, surmontait une sorte de bec tranchant, et une collerette osseuse protégeait son cou.

● D'autres étaient *carnivores* comme le *Tyrannosaure* qui atteignait 10 à 15 mètres et dont la tête énorme portait des mâchoires armées de longues dents. Ses pattes antérieures se terminaient par des griffes puissantes et acérées. Ainsi armés, ces

**10**   Reconstitution de l'Archéoptéryx.

## 2. Les premiers Oiseaux.

Le plus ancien des oiseaux connus est l'*Archéoptéryx* découvert voici bientôt cent ans dans les calcaires lithographiques de Solenhofen, en Bavière, calcaires qui datent de la fin du Jurassique. On n'en connaît encore que deux exemplaires, ils ont permis de se faire une idée assez précise de cet oiseau. S'il présente un certain nombre de caractères qui le rattachent sans aucun doute aux Oiseaux, certains autres caractères appartiennent aux Reptiles (*fig. 10*).

Son allure générale est celle d'un Oiseau de la taille d'un Corbeau; ses membres antérieurs sont incontestablement des ailes bien développées et garnies de plumes, mais elles se terminent par des mains de Reptile à trois doigts armés de fortes griffes; de plus, si la queue est garnie de plumes, celles-ci sont disposées de part et d'autre d'une colonne formée par une vingtaine de vertèbres comparables à celles de la queue d'un Lézard; enfin le bec est armé de dents.

L'*Archéoptéryx* est donc une forme singulière, encore Reptile mais déjà Oiseau; il représente une *forme de passage dans l'évolution de certains Reptiles vers les Oiseaux*.

monstres attaquaient les gigantesques herbivores dont ils faisaient leur nourriture.

C. *Les Reptiles volants*. Ils avaient sans doute l'aspect des Chauves-Souris actuelles. Leurs ailes étaient formées par une membrane fixée sur les flancs du corps et soutenue par le bras et le cinquième doigt de la main, qui était beaucoup plus long que les quatre autres. Leurs restes sont très rares; on connaît cependant les *Ptérodactyles*, de la taille d'un pigeon, les *Ptéranodons*, dont les ailes déployées avaient une envergure atteignant 8 mètres, et les *Rhamphorhynques* au corps prolongé par une longue queue formant balancier.

L'épanouissement des Reptiles, animaux qui aiment la chaleur, indique un climat chaud. De même le développement des récifs coralliens en Europe occidentale permet d'affirmer que des mers chaudes couvraient ces régions. Il semble cependant qu'un certain refroidissement se soit manifesté depuis le Jurassique jusqu'à la fin du Crétacé. Et peut-être ce refroidissement est-il une des causes de la disparition des Grands Reptiles à la fin de l'ère secondaire.

## EXERCICES D'OBSERVATION

**1.** Observez des Cycas dans un jardin botanique ou dans une serre (Muséum).

**2.** Observez une Rhynchonelle et une Térébratule; reconnaître la valve ventrale (avec le crochet) et la valve dorsale. Dessin.

**3.** Comparez un Oursin régulier et un Oursin irrégulier. Reconnaissez les zones ambulacraires et interambulacraires, la bouche et l'anus. Dessin.

**4.** Comparez une Huître fossile secondaire (Gryphée, par exemple) et une Huître actuelle.

**5.** Observez et dessinez quelques Ammonites. Sur un exemplaire montrant bien la suture des cloisons, peindre en rouge l'emplacement compris entre deux cloisons (loge) en s'efforçant de suivre fidèlement les sinuosités. Observez une Ammonite sciée; comparez avec un Nautile scié. Observez et dessinez quelques Ammonites déroulées.

**6.** Observez une Bélemnite. Recherchez sur un os de Seiche le rostre, partie correspondant à la pièce fossile. Imaginez, par comparaison, la taille que pourrait avoir la Bélemnite vivante.

**7.** Observez des gravures représentant des Reptiles secondaires. Recherchez les particularités qui correspondent au genre de vie de ces animaux.

**8.** Comparez la silhouette d'un Ichthyosaure avec celle d'un Requin et celle d'un Marsouin ou d'un Dauphin.

## RÉSUMÉ

● *A l'ère secondaire les plantes de la forêt houillère ont disparu : elles sont remplacées par des Cycadées et des Conifères : l'Ere Secondaire est l'ère des Gymnospermes. Les Angiospermes apparaissent au Crétacé.*

● *Dans les mers, les Polypiers constructeurs de récifs, les Rhynchonelles et les Térébratules, les Oursins réguliers et irréguliers et surtout les Mollusques pullulent. Les Ammonites, voisines des Nautiles, et les Bélemnites, ressemblant aux Seiches, sont les Mollusques Céphalopodes caractéristiques des terrains secondaires.*

● Les Vertébrés sont principalement représentés par des Reptiles *qui atteignent une taille gigantesque et sont adaptés aux divers milieux :*

*1 = Dans les mers, Reptiles nageurs comme l'Ichthyosaure.*

*2 = Sur les continents, Reptiles herbivores comme le Diplodocus et l'Iguanodon, Reptiles carnivores comme le Tyrannosaure.*

*3 = Dans les airs, Reptiles volants comme le Ptérodactyle.*

● *Les premiers Oiseaux apparaissent avec l'Archéoptéryx, aux caractères mixtes, il est déjà Oiseau, mais encore Reptile.*

*Les premiers Mammifères sont représentés par des formes minuscules.*

● *Tous ces êtres vivaient sous un climat chaud et analogue à celui des régions tropicales actuelles.*

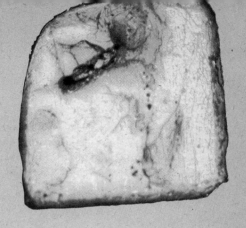

1 Blocs d'ambre contenant des insectes fossilisés.

# 14 La vie à l'ère tertiaire

★ *A la fin de l'ère secondaire de profondes transformations sont intervenues parmi les êtres vivants. Dans les mers, Ammonites et Bélemnites ont disparu à la fin du Crétacé. Il en est de même pour les grands Reptiles, aussi bien sur les continents que dans les eaux.*

*En revanche, au cours de l'ère tertiaire, les Mammifères vont prendre une importance considérable.*

*Dans l'ensemble, au Tertiaire, animaux et végétaux ressemblent de plus en plus à ceux qui vivent aujourd'hui : la flore et la faune tertiaires annoncent la flore et la faune actuelles.*

## Les végétaux et les climats à l'ère tertiaire

**Les Angiospermes,** qui ont pris au cours du Crétacé une extension considérable, sont devenues prépondérantes : elles ont envahi tous les continents. Les espèces actuelles sont déjà représentées, mais leur répartition est alors bien différente de ce qu'elle est aujourd'hui. Cette répartition présente d'ailleurs une évolution au cours de l'ère tertiaire.

**1. Au début de l'ère tertiaire,** croissaient en France des plantes indiquant un climat chaud : Palmiers variés, Lauriers, Figuiers et Magnolias, ainsi que des Noyers et de la Vigne; on a reconnu leurs feuilles et même leurs fleurs et leurs fruits fossilisés dans des travertins qui se sont déposés dans des sources incrustantes, à Sézanne, en Champagne, ainsi qu'à Passignac, dans les Charentes. C'est une *flore de*

*caractère tropical*, comparable à la flore actuelle du Sénégal ou du Brésil.

**2. Vers le milieu des temps tertiaires,** ces végétaux des régions chaudes sont progressivement remplacés par des espèces caractéristiques des régions méditerranéennes et tempérées : Aulnes et Peupliers, Hêtres et Chênes forment des forêts entre lesquelles s'étendent de vastes prairies de graminées. Le paysage est celui de pré-bois ou de savane que parcouraient de nombreux troupeaux de Mammifères herbivores.

L'Allemagne du Nord et les régions baltiques étaient alors couvertes de forêts de Pins qui ont donné d'importants gisements de lignite; on y trouve, englobés dans le lignite, des blocs jaunes et transparents dans lesquels on distingue parfois des insectes enrobés : c'est de l'*ambre*, véritable résine fossile, épanchée du tronc de ces Pins, dans laquelle les insectes ont été englués (*fig. 1*).

**3. A la fin de l'ère tertiaire**, les feuilles fossilisées dans les *cinérites*, comme celles du lac Chambon, nous indiquent une *flore comparable à la flore actuelle*. Les

végétaux exotiques ont émigré vers le Sud ou sont disparus.

Ainsi l'évolution de la couverture végétale au cours de l'ère tertiaire indique un *refroidissement progressif* du climat en Europe occidentale : le climat, de caractère tropical au début de l'ère tertiaire, est devenu un climat tempéré à la fin de cette ère.

# Les animaux à l'ère tertiaire

La faune, au cours de l'ère tertiaire, présente également une évolution, aussi bien dans les eaux que sur les continents. Nous étudierons seulement quelques Invertébrés caractéristiques pour insister plus longuement sur les Mammifères dont le développement constitue l'événement essentiel dans les manifestations de la vie à l'ère tertiaire.

## I. Les Invertébrés.

### A. Les Protozoaires.

Les plus importants sont les *Nummulites*. Ce sont des *Foraminifères* sécrétant un test calcaire en forme de pièce de monnaie ou de lentille, circulaire et aplati. A l'intérieur une lame est enroulée en spirale et des cloisons délimitent des loges.

Les Nummulites pullulaient dans les mers chaudes au début de l'ère tertiaire, et leurs tests sont parfois si nombreux qu'ils constituent par leur accumulation des roches compactes, les *calcaires à Nummulites*, comme ceux que l'on trouve à la base du calcaire grossier dans la région parisienne (*fig. 2*).

Les *Nummulites* sont caractéristiques de la période correspondant à la première moitié des temps tertiaires, période que l'on désigne souvent, pour cette raison, sous le nom de *période nummulitique*.

### B. Les Oursins.

Les Oursins irréguliers sont communs dans les eaux marines peu profondes. On les trouve fossilisés dans les sables et les calcaires coquilliers (*fig. 3*).

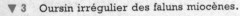
▲ 2   Nummulites du calcaire grossier.

▼ 3   Oursin irrégulier des faluns miocènes.

### C. Les Mollusques.

Mais ce sont surtout les Mollusques qui prospéraient dans ces eaux. Leurs coquilles sont souvent fort bien conservées dans ces sables ou *faluns*, comme le falun de Grignon, dans la région parisienne, ou les faluns de la Touraine et du Bordelais; on y trouve en abondance des *Lamellibranches* et des *Gastéropodes*, voisins des espèces actuelles. Parmi ces derniers, les *Cérithes* sont particulièrement caractéristiques; leurs empreintes et leurs moules internes sont abondants dans le calcaire grossier, en particulier ceux du Cérithe géant. Cette abondance a fait donner aux bancs correspondants le nom de " bancs à verrains ".

Dans les eaux douces prospéraient des Limnées et des Planorbes que l'on trouve fossilisés dans les calcaires lacustres.

### D. Les Insectes.

Ils pullulaient dans les forêts et les prairies et ressemblaient tout à fait aux Insectes actuels. Malheureusement, leurs restes fossiles sont très rares. On en trouve cependant quelques-uns dans l'ambre ainsi que dans les calcaires lacustres.

## 2. Les Vertébrés.

Les *Poissons*, les *Batraciens*, les *Reptiles* et les *Oiseaux* ressemblaient beaucoup à ceux qui vivent aujourd'hui. Mais, pour les Reptiles surtout, la répartition sur le globe était différente de celle que nous connaissons actuellement. Les Reptiles, animaux aimant la chaleur, sont surtout abondants aujourd'hui dans les régions tropicales. Or les *Crocodiles* étaient alors nombreux dans les lacs de France; on a en effet retrouvé leurs *dents* en abondance dans certains *calcaires lacustres*. Cela prouve bien qu'un climat chaud régnait alors sur notre pays.

Dans les faluns, on trouve parfois des *dents de Squales*; leur taille impressionnante nous permet de penser que ces Requins étaient énormes. Dans certains calcaires à grain fin, on a aussi découvert parfois des squelettes entiers de *Poissons osseux* comme celui qui est reproduit ci-contre.

▲ 4  Deux mollusques des faluns.

▼ 5  Un poisson osseux dans des calcaires éocènes.

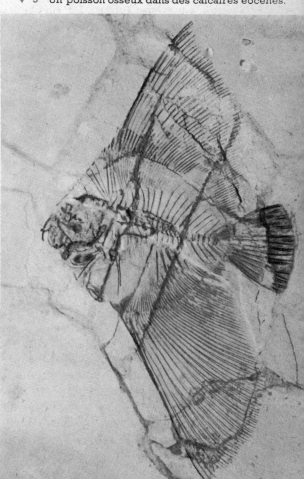

A l'ère secondaire, nous avons signalé l'existence de très rares Mammifères de petite taille. *A l'ère tertiaire, les Mammifères prennent un développement considérable ;* ils se répandent sur tous les continents et prennent la place des grands Reptiles secondaires disparus. *L'ère tertiaire est véritablement l'ère des Mammifères.*

Nous allons évoquer quelques types et rappeler les grandes lignes de l'évolution de certains groupes.

## I. Les Ongulés.

Ce sont les Mammifères aux doigts coiffés par des *sabots.*

### A. Les Ongulés à nombre impair de doigts.

Ils sont représentés aujourd'hui par les Chevaux, les Rhinocéros et les Eléphants. On a pu reconstituer l'évolution de ces groupes au cours de l'ère tertiaire, notamment celle des Chevaux et celle des Eléphants.

● *Les ancêtres du Cheval.* Le Cheval est un animal coureur, se nourrissant d'herbes et de foin. Ses *pattes* sont longues et terminées par un *seul doigt ;* il n'appuie sur le sol que par l'extrémité de ce doigt unique, coiffée par un *sabot :* c'est un animal onguligrade, capable de courses rapides. Ses *molaires* sont hautes et leur surface d'usure présente des *replis d'émail* durs et saillants : ce sont des molaires capables de broyer les herbes sèches. Ces caractères mettent en évidence, chez le Cheval, *une adaptation de ses membres à la course* et *une adaptation de ses dents au régime herbivore.*

Ces adaptations se sont réalisées progressivement au cours d'une longue histoire, et on a pu reconstituer la *lignée des ancêtres du cheval* grâce à une série de squelettes découverts en Amérique du Nord dans les couches successives des terrains tertiaires.

*Au début de l'ère tertiaire,* le plus ancien terme de cette lignée était un animal de la taille d'un Renard (*Eohippus*). Ses pattes possédaient 5 doigts (1, 2, 3, 4, 5) qui reposaient sur le sol, mais le pouce était déjà atrophié. Ses dents, à couronne basse, présentaient une surface pourvue de 4 tubercules, correspondant à un régime omnivore.

Plus tard vécut un animal de la taille d'un Mouton (*Mesohippus*); ses pattes ne possédaient plus que 3 doigts (2, 3, 4), déjà redressés (digitigrade) et terminés par des sabots. Le doigt médian (3) est plus développé que les doigts latéraux (2 et 4). Vinrent ensuite des sortes de Poneys (*Merychippus*) dont les pattes avaient encore 3 doigts, mais dont le doigt médian, tout à fait redressé, appuyait seul sur le sol par son sabot alors que les doigts latéraux étaient fort réduits ; c'était déjà un coureur rapide. Les dents avaient de même évolué : plus hautes sur la gencive, leur couronne, à surface aplatie par l'usure, présentait des replis d'émail plus ou moins compliqués correspondant à un régime herbivore.

L'*Hipparion,* du tertiaire moyen et supérieur d'Europe, était semblable à ce type américain.

*A la fin de l'ère tertiaire* apparaissent les vrais chevaux (*Equus*) dont la patte n'a plus qu'un seul doigt, le doigt médian, au métapode[1] très allongé, ou os canon, que flanquent deux stylets très réduits, vestiges des métapodes 2 et 4 disparus.

La série des ancêtres du Cheval met ainsi en évidence une évolution qui se traduit :

— par une *croissance de la taille,* de celle d'un Renard à celle du Cheval;

— par un *allongement des membres,* en même temps qu'une réduction progressive du nombre des doigts (de 5 à 1); cet allongement est réalisé par un *redressement de la*

---

1. On appelle *métapode* la partie de la patte correspondant au métacarpe (patte antérieure) ou au métatarse (patte postérieure).

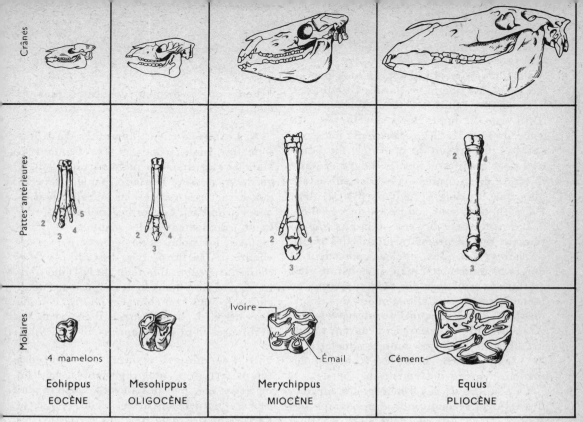

| | Eohippus ÉOCÈNE | Mesohippus OLIGOCÈNE | Merychippus MIOCÈNE | Equus PLIOCÈNE |
|---|---|---|---|---|
| Crânes | | | | |
| Pattes antérieures | 2 5 3 4 | 2 4 3 | 2 4 3 | 2 4 3 |
| Molaires | 4 mamelons | | Ivoire — Émail | Cément |

6  Evolution dans la lignée des ancêtres du cheval.

*patte sur l'extrémité des doigts*, *coiffée par un sabot* (onguligrade) et par un développement considérable du doigt médian, à l'extrémité d'un os canon qui s'allonge et se fortifie;

— par une transformation des molaires basses et tuberculeuses d'un animal omnivore en une denture à molaires hautes dont la surface d'usure présente des replis d'émail complexes qui en font une râpe efficace, caractéristique d'un régime herbivore (*fig. 6*).

Le *Paléothérium*, dont les restes ont été recueillis dans le gypse parisien, avait la taille et l'allure d'un veau, mais son corps massif et sa tête pourvue d'une courte trompe lui donnaient l'apparence d'un Tapir; ses pattes à 3 doigts bien développés permettent de le rapprocher du Mésohippus (*fig. 7*).

7  Le Paléothérium du gypse de Vitry. ▶

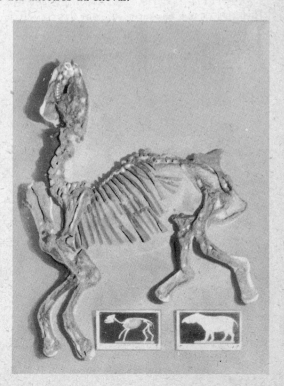

**B. Les Ongulés à nombre pair de doigts.**

Ils sont aujourd'hui représentés par les Sangliers, à 4 doigts, et par les Ruminants, Cerfs et Chevreuils, Bœufs et Moutons, qui n'ont que 2 doigts bien développés. Au cours de l'ère tertiaire, chez leurs ancêtres, après la disparition du pouce (1), la réduction s'est manifestée sur les doigts latéraux (2 et 5); chez les plus évolués ne subsistent plus que les doigts médians (3 et 4) dont les métapodes sont soudés en un os canon.

Les ancêtres de ces animaux apparaissent dès la première moitié des temps tertiaires; les plus anciens possèdent 4 doigts bien distincts, mais on constate chez certains la réduction des doigts latéraux en même temps que l'allongement des doigts médians. C'est ce que l'on observe sur le *Xiphodon* du gypse parisien, coureur rapide à l'allure d'Antilope, dont le squelette de la patte montre bien les 2 métapodes médians encore nettement distincts.

La soudure de ces 2 métapodes surviendra dans la seconde moitié des temps tertiaires où se différencient alors les Chameaux et les Cerfs, les Antilopes et les Bovidés, tous caractérisés par leur pied à 2 doigts.

## 2. Les Onguiculés ou Mammifères à griffes.

Leurs ongles forment des griffes plus ou moins développées.

**A.** Les plus anciens Mammifères à griffes sont des **Insectivores** et des **Rongeurs**. Mais les **Carnivores** sont déjà représentés, au début de l'ère tertiaire, par des espèces aux caractères encore peu marqués (carnivores primitifs). Ces formes archaïques évoluent rapidement : les canines se développent, les molaires deviennent plus tranchantes. A la fin de l'ère tertiaire, le *Machairodus*, redoutable félin de la taille d'un tigre, portait à la mâchoire supérieure deux énormes crocs, tranchants et pointus comme des poignards, avec lesquels il égorgeait les herbivores dont il se nourrissait (*fig. 8*).

**B. Les Singes,** apparus au début des temps tertiaires, sont représentés, à la fin de cette ère, par des formes voisines des espèces actuelles. On a découvert, à la partie supérieure des terrains tertiaires, des mâchoires et des dents qui présentent de frappantes analogies avec celles des Chimpanzés que nous connaissons aujourd'hui.

**8**  Machairodus. Remarquez ses canines énormes en forme de « lame de sabre ».

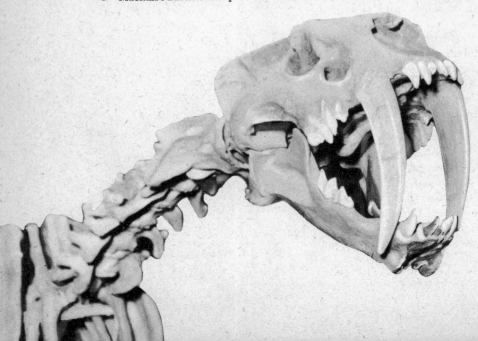

Sans doute certains de ces ossements, en particulier ceux découverts en 1958 dans les lignites de Toscane (Monte Bamboli), ont-ils appartenu à de lointains ancêtres de la lignée humaine, mais on *n'a jamais trouvé dans les terrains tertiaires* de fossiles pouvant vraiment être considérés comme les *ancêtres directs de l'Homme*.

*Ce dernier apparaîtra seulement à l'ère quaternaire.*

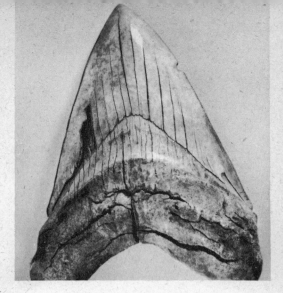

9   Une dent de squale des faluns.

---

## EXERCICES D'OBSERVATION

**1.** Observez des Nummulites, les dessiner. Essayer d'en faire éclater quelques-unes en les chauffant fortement dans une flamme, tenues par une pince, puis en les laissant tomber dans l'eau froide. Observer à la loupe, sur les exemplaires éclatés, la lame calcaire enroulée en spirale, les cloisons et les loges.

**2.** Dans la Région parisienne, la Touraine et le Bordelais, rechercher des sables fossilifères ou faluns. Récolter des coquilles de Mollusques (Lamellibranches et Gastéropodes), et particulièrement des Cérithes.

**3.** On trouvera parfois, dans ces faluns, des dents de Requins tertiaires; les dessiner.

**4.** Sur des moulages de la collection du Lycée, observer le squelette d'une patte de Paléothérium et celui d'une patte d'Hipparion. Les comparer avec le squelette d'une patte de Cheval.

**5.** Comparer des squelettes de pattes de Porc, de Chevreuil, de Mouton et de Bœuf. Observer la réduction de plus en plus marquée des doigts latéraux.

**6.** Comparer des molaires de Sanglier ou de Porc (animaux omnivores, mangeurs de tubercules et de racines) et des dents de Cheval ou de Bœuf (animaux herbivores).

---

## RÉSUMÉ

● *Dans le monde végétal*, les Angiospermes deviennent prépondérantes.
*Les espèces actuelles existaient déjà, mais les modifications de leur répartition géographique indiquent un refroidissement progressif du climat en Europe occidentale au cours des temps tertiaires.*

● *Les principaux Invertébrés sont les* Nummulites, *Protozoaires à test calcaire, et les* Cérithes, *qui sont des Mollusques Gastéropodes. Les coquilles des Gastéropodes et des Lamellibranches sont fort bien conservées dans les sables coquilliers ou faluns.*

● Les Mammifères dominent tous les Vertébrés; l'ère tertiaire est l'ère des Mammifères.

● *L'évolution des Mammifères au cours des temps tertiaires, bien suivie pour les ancêtres des Chevaux et des Eléphants, montre des adaptations progressives qui conduisent les formes primitives du début de l'Ere Tertiaire aux formes actuelles.*

# 15 La vie à l'ère quaternaire

★ *L'ère quaternaire, très brève par rapport à celles qui l'ont précédée, correspond à peu près au dernier million d'années. Elle est dominée, au point de vue géographique et géologique, par une extension considérable des glaciers qui, à plusieurs reprises, ont envahi tout le Nord de l'Europe et, en France, ont couvert toutes les montagnes et sont descendus jusque dans les vallées et les plaines. Ces périodes froides ou glaciaires ont été séparées par des périodes de climat tempéré ou chaud, les périodes interglaciaires.*

*Les extensions glaciaires alternant avec les périodes interglaciaires ont déterminé des conditions climatiques et géographiques très particulières qui ont constitué le cadre dans lequel ont vécu les végétaux et les animaux au cours de l'ère quaternaire. C'est aussi dans ce cadre qu'ont dû vivre les premiers hommes. L'étude de ces lointains ancêtres et des manifestations de leur activité est l'objet de la Préhistoire.*

◄ 1 Un abri sous roche dans la vallée de la Vézère. Les hommes préhistoriques s'abritaient sous le vaste surplomb de la falaise calcaire.

## La flore et la faune quaternaires

### I. Les climats et la végétation à l'ère quaternaire.

L'extension ou le recul des grands glaciers quaternaires entraînait des *variations climatiques* importantes au voisinage des régions occupées ou abandonnées par la glace. La végétation, étroitement liée au climat, reflète ces profondes variations.

**A. Les tufs de la Celle,** au bord de la Seine, près de Moret, en Seine-et-Marne, nous révèlent une abondante végétation caractéristique d'un climat tempéré, plus chaud même que celui qui règne actuellement dans le Bassin parisien. On a reconnu, en effet, outre de nombreuses espèces croissant encore aujourd'hui dans la région, quelques plantes comme le Buis, le Figuier et le Laurier des Canaries qui indiquent plutôt un climat méditerranéen. Les tufs de la Celle ont été déposés au cours d'une *période interglaciaire.*

**B. Les tourbes** contiennent des restes végétaux, semences et grains de pollen, généralement bien conservés. L'étude des *grains de pollen* contenus dans les tourbes révèle la *nature et l'évolution de la végétation* croissant au voisinage de la tourbière, durant la période de formation de la tourbe.

Cette étude, surtout effectuée pour les tourbes postglaciaires formées au cours du recul des glaciers de la dernière glaciation, a permis de reconnaître :

— à la base, une végétation de Bouleaux et de Pins, comparable à la végétation actuelle de la Laponie, indiquant un climat froid, de caractère arctique;

— au-dessus, une végétation de Chênes et de Charmes, d'Ormes et de Tilleuls, correspondant à un climat tempéré, voisin du climat actuel des régions atlantiques.

Dans l'ensemble, on peut dire que durant chaque *période glaciaire*, au voisinage des glaciers, la végétation était réduite aux plantes de la toundra. Au fur et à mesure du recul de la glace et de l'adoucissement du climat, la toundra cédait la place à la forêt de résineux ou taïga, puis à la forêt d'arbres feuillus, de caractère tempéré ou chaud, indiquant le retour à une *période interglaciaire.* Une nouvelle extension des glaces entraînait évidemment l'évolution inverse. Et ces diverses zones de végétation se déplaçaient sur les continents, suivant l'avance ou le recul des glaciers. *Ainsi la France a successivement été toundra ou taïga, au cours de chaque glaciation, forêt tempérée ou prairie au cours de chaque période inter-glaciaire.*

## 2. Les animaux.

Les animaux quaternaires sont bien connus, surtout les Mammifères. Nombreux sont leurs ossements et leurs dents qui ont été recueillis dans les graviers des terrasses fluviales, dans les argiles fluviatiles ou lacustres, dans le lœss, ainsi que dans les « abris sous roche » (*fig. 1*) et les cavernes fréquentées par les hommes préhistoriques. Ceux-ci les ont même parfois gravés ou peints sur les parois des grottes.

Dans l'ensemble de la faune quaternaire de l'Europe occidentale on peut distinguer des espèces aujourd'hui disparues, des espèces qui ont émigré et enfin des espèces qui y vivent encore actuellement.

### A. Les animaux disparus.

L'*Eléphant antique*, haut de 5 mètres, aux longues défenses presque droites, avait des molaires présentant des lames transversales d'ivoire, peu nombreuses, larges et losangiques, bordées d'un émail épais. Avec lui vivait un Rhinocéros, le Rhinocéros de Merck. Ces deux grands herbivores devaient parcourir les prairies et les forêts des périodes interglaciaires, sans doute préféraient-ils un climat assez chaud.

Le *Mammouth* était, au contraire, l'éléphant de la toundra et de la taïga des régions périglaciaires. On a retrouvé, dans les sols toujours gelés de la Sibérie, des Mammouths entiers, avec leur chair et leurs poils, conservés là comme dans un réfrigérateur. Le squelette ci-contre est celui de l'un de ces Mammouths de Sibérie. En France, ossements et dents de Mammouth ne sont pas rares dans les graviers des terrasses fluviales (*fig. 3*); l'Homme préhistorique, qui le poursuivait à la chasse, a parfois figuré le Mammouth sur les parois des grottes. Sa taille ne dépassait guère 3 m, 50, ses défenses étaient énormes et recourbées en spirale; ses molaires comportaient de nombreuses lames d'ivoire, étroites et serrées, entourées d'un émail mince et plissoté. Le corps était couvert d'une épaisse toison laineuse et frisée d'où dépassaient de longs poils pendants. Lui aussi avait pour compagnon un Rhinocéros, le Rhinocéros à narines cloisonnées ou *Rhinocéros laineux*, également bien adapté aux rigueurs du climat des régions voisines des glaciers. L'un et l'autre ont disparu lorsque les climats se sont adoucis.

Parmi les espèces éteintes, on peut encore citer le *Grand Cerf des tourbières*, à la

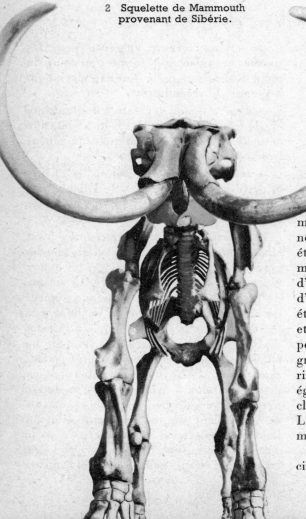

2  Squelette de Mammouth provenant de Sibérie.

ramure géante, et l'*Ours des cavernes*, à la tête monstrueuse, qui disputait les abris et les grottes aux Hommes préhistoriques et dont de nombreux ossements ont été recueillis dans ces grottes.

**B. Les animaux qui ont émigré.**

Certains, adaptés aux climats chauds, ont été chassés vers les régions méridionales par la dernière glaciation, celle qui a fait disparaître l'Eléphant antique; ce sont l'*Hippopotame*, dont on a retrouvé des restes jusqu'en Angleterre, le *Lion* et l'*Hyène* des cavernes.

D'autres, adaptés aux climats froids, ont quitté nos régions pour suivre les glaces, lors du retrait de la dernière extension glaciaire; ce sont les animaux de la toundra : le *Renne* et le *Bœuf musqué*.

**C. Les animaux actuels.**

De nombreux Mammifères quaternaires, adaptés aux climats tempérés, vivent encore aujourd'hui en Europe occidentale; le Sanglier, le Chevreuil et le Cerf, le Bœuf

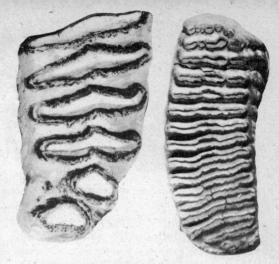

3 Molaires d'Eléphants quaternaires :
A. Eléphant antique ; B. Mammouth.

et le Cheval, le Loup, le Renard et l'Ours brun en sont les principaux. Mais quelques espèces sont devenues très rares et sont aujourd'hui en voie de disparition : c'est le cas, notamment, pour les *Bisons* et pour les *Castors*.

# Les hommes préhistoriques et la Préhistoire

C'est au milieu des *paysages* que nous avons évoqués tout à l'heure, guettant, dans la forêt de feuillus, l'Eléphant antique ou le Sanglier, ou bien poursuivant sur la toundra enneigée les troupeaux de Rennes ou de Mammouths, qu'*ont vécu les hommes préhistoriques*.

Nous les connaissons, dans leurs *caractères physiques*, par les ossements isolés ou les rares *squelettes* plus ou moins complets qui ont été découverts dans les terrains quaternaires. Leur *genre de vie* nous est révélé par tout ce qu'ils ont laissé sur les lieux qu'ils ont fréquentés ou habités : plateaux secs ou terrasses fluviales, « abris sous roches » ou sombres cavernes. Tous ces vestiges sont aujourd'hui recueillis précieusement par les *Préhistoriens* : ce sont des armes et des outils de pierre ou d'os, des traces de foyers, des reliefs de repas, des productions artistiques, gravures ou peintures, des sépultures et des monuments.

## I. Les hommes fossiles.

En évoquant les principaux fossiles humains recueillis, nous esquisserons l'évolution des divers types humains au cours des temps quaternaires.

### A. Les Préhumains.

Outre les divers crânes trouvés en Afrique du Sud et désignés sous le nom d'Australopithèques, nous insisterons sur le groupe des *Pithécanthropes* qui paraissent véritablement représenter des hommes primitifs.

Le *Pithécanthrope* est connu par une calotte crânienne et un fémur recueillis en 1891 à Java. De nouveaux ossements, attribués au même être, ont été découverts, également à Java, entre 1936 et 1940. La calotte crânienne, au front très plat, rappelle celle des grands singes, mais le fémur permet de supposer que le Pithécanthrope se tenait redressé, presque vertical.

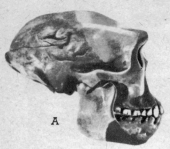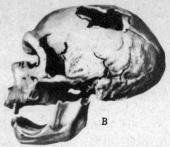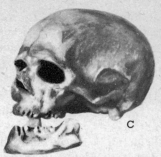

4 Crânes des hommes fossiles :
A. Pithécanthrope (crâne reconstitué). B. Homme de Neanderthal. C. Homme de Cro-Magnon.

Les *Sinanthropes*, découverts en Chine, non loin de Pékin, entre 1928 et 1940, présentent de grandes ressemblances avec le Pithécanthrope. Ces fossiles ont été découverts dans des terrains attribués au *Quaternaire inférieur*.

Quels étaient alors, en Europe et en Afrique du Nord, les représentants de la lignée humaine? Seules quelques mâchoires inférieures recueillies, la première en 1907, dans les sables fluviatiles de Mauer, près d'Heidelberg, en Allemagne, les autres, en 1954 et 1955, près de Palikao, en Algérie, peuvent nous en donner une idée. Les fortes dimensions de ces mâchoires et des dents qu'elles portent, leur aspect massif, l'absence de menton, sont des caractères qui les rapprochent des mandibules des grands singes, mais *l'aspect et la forme de ces dents* annoncent tout à fait des *caractères humains*.

Les ossements des animaux de chasse recueillis avec ces restes humains nous apprennent que ces hommes primitifs vivaient dans un paysage forestier, sous le *climat chaud, ou tempéré, d'une période interglaciaire;* ils utilisaient déjà de grossiers outils de pierre taillée.

## B. Les hommes de Neandertal.

Ce nom a été donné en raison des ossements découverts en 1856, dans les limons du Quaternaire moyen du ravin de Neandertal, près de Dusseldorf, en Prusse rhénane. Mais c'est surtout par le *squelette de La Chapelle-aux-Saints,* découvert en 1908, dans une grotte de la Corrèze où il était enfoui dans une véritable sépulture que l'on connaît bien les caractères des *hommes du Quaternaire moyen.*

C'étaient des hommes au corps massif, porté par des jambes courtes. La tête, volumineuse, présentait un crâne aplati, des arcades orbitaires très saillantes, un front très fuyant; le volume du cerveau était aussi important que celui du cerveau d'un homme actuel. La face, proéminente, portait un nez large et plat; la mâchoire inférieure, robuste et sans menton, était armée de fortes dents.

Les Néandertaliens vivaient au cours de la *dernière période interglaciaire* et au *début de la dernière glaciation* dont le froid intense les contraignit à rechercher un abri dans les cavernes.

## C. Les hommes du Quaternaire supérieur.

On les appelle parfois les hommes de l'âge du Renne, car de nombreux ossements de cet animal se trouvaient dans les couches où l'on a découvert leurs squelettes. Ils vivaient donc sous un *climat froid, au milieu et à la fin de la dernière période glaciaire;* ils devaient se protéger des rigueurs de la température en se réfugiant dans des « abris sous roches » ou des grottes. C'est là que l'on a exhumé leurs restes, ensevelis au milieu des traces de leurs foyers, de leurs outils et de leurs armes. L'une de ces trouvailles a été faite en 1866, à Cro-Magnon, dans la commune des Eyzies, en Dordogne, d'où le nom de *race de Cro-Magnon* donné à ces hommes du Quaternaire supérieur.

L'homme de Cro-Magnon était de grande taille et se tenait parfaitement droit. Sa tête, au crâne allongé, avait le front haut et large, sans arcades orbitaires proéminentes ; le nez était long et étroit, le menton bien marqué. Le cerveau était volumineux, et tous les caractères sont ceux d'une race évoluée, aux facultés intellectuelles bien développées. *Les hommes de Cro-Magnon représentent bien les véritables ancêtres des hommes d'aujourd'hui.*

## 2. La vie des hommes préhistoriques.

On peut imaginer ce que devait être la vie des hommes préhistoriques en étudiant les emplacements où l'on a découvert leurs squelettes et les restes de leur activité. Ces emplacements sont très nombreux, en Dordogne, dans la vallée de la Vézère, autour de la localité des Eyzies, qui est considérée comme une « véritable capitale de la Préhistoire ».

Les armes, les outils et les instruments qu'ils ont façonnés, les ossements des animaux qu'ils ont chassés, les traces de leurs foyers sont des témoins précieux.

L'étude de tous ces documents, révélateurs du genre de vie des hommes du Quaternaire, constitue *la Préhistoire* ou *Histoire des premiers Hommes.*

Parmi les objets, les plus communs sont des pierres taillées, surtout des *silex ;* dans les couches très récentes on trouve aussi des pierres polies. On distingue donc, en Préhistoire, deux grandes périodes ou âges :

— l'âge de la *pierre taillée* ou *Paléolithique*, correspondant à la période *Pléistocène ;*

— l'âge de la *pierre polie* ou *Néolithique*, correspondant à la période *Holocène.*

### A. La vie des hommes du Paléolithique, à la période pléistocène.

● Les plus anciens hommes connus, ceux du *Paléolithique inférieur*, devaient fréquenter le bord des cours d'eau ; c'est en effet dans les alluvions des rivières que l'on a trouvé les très rares ossements (mâchoire de Mauer) et les nombreux témoins de l'in-

5   Carte de la région des Eyzies.

dustrie (vallées de la Tamise, de la Somme, de la Seine et de la Charente) de ces premiers hommes. Ils utilisaient certainement des armes et des outils en bois (bâtons, massues) qui ne se sont pas conservés. Mais ils façonnaient aussi des pierres dures, comme le silex, qu'ils frappaient les unes contre les autres pour les faire éclater et obtenir des arêtes vives et tranchantes : ce sont les *pierres taillées.*

Les premiers silex taillés étaient grossièrement façonnés sur les deux faces : on les appelle *bifaces ;* beaucoup plus tard, des retouches ont permis d'obtenir des outils plus plats, en forme d'amande, au bord tranchant. Ces « bifaces » ont été aussi appelés « coups-de-poing » ; ils étaient sans doute utilisés comme une arme saisie à pleine main, avec laquelle ces hommes assommaient et débitaient leur gibier. Mais les éclats détachés furent aussi utilisés comme petits outils : couteaux, racloirs.

**des Hommes néolithiques**
(pointes de flèches, hache de pierre polie
et tranchet).

**du Paléolithique supérieur**
(Race de Cro-magnon)

(lame '' feuille de laurier '', burin '' bec
de perroquet '', pointes de flèche et de
harpon en os).

**du Paléolithique moyen**
(Hommes de Neanderthal)

(petit biface, pointes et racloir soigneu-
sement retouchés).

**du Paléolithique inférieur**
(Préhumains)

(deux bifaces ou '' coups de poing '',
éclats utilisés comme couteau ou racloir)

6  Outils préhistoriques.

● *Les hommes du Paléolithique moyen*, les *Néandertaliens*, utilisent encore des bifaces, d'ailleurs plus petits et plus soignés, mais ils emploient surtout les éclats retouchés et façonnés en forme de pointes et de racloirs. On trouve ces instruments en abondance dans les abris ou dans les grottes, au Moustier (Dordogne) notamment. L'homme de Néandertal se réfugiait dans ces abris, avec sa famille, pour se protéger contre le climat rigoureux correspondant au début de la dernière glaciation. Il connaissait d'ailleurs le feu, comme le révèlent les traces de foyers, et avait déjà des préoccupations d'ordre spirituel, car il enterrait ses morts.

En effet, la plupart des squelettes de Néandertaliens ont été exhumés de véritables sépultures, et c'est pourquoi ils sont souvent fort bien conservés.

● *Les hommes du Paléolithique supérieur* (race de *Cro-Magnon*) vivaient encore sous un climat rigoureux, au cours du maximum d'extension, puis du recul des glaciers de la dernière glaciation : c'est l'âge du *Mammouth* et du *Renne*. Ces animaux parcouraient la toundra et constituaient le gibier poursuivi par les chasseurs du Paléolithique supérieur. Ils firent place plus tard, après le recul des glaciers, aux troupeaux de Bisons et de Chevaux.

L'Homme se protège encore dans les « abris sous roche » ou dans les grottes. Il a perfectionné son industrie ; *avec le silex* il fabrique encore une grande variété d'armes et d'outils : grattoirs et couteaux, burins et perçoirs, pointes de flèches et de lances en forme de « feuilles de Laurier », mais *il travaille aussi l'os*, le bois de Renne et l'ivoire de Mammouth avec lesquels il fabrique des aiguilles, des pointes de sagaies et de harpons. *Il est même devenu un artiste* : il décore les parois de son habitation souterraine de nombreuses œuvres d'art, gravures et peintures comme celles découvertes à Rouffignac et à Lascaux (Dordogne).

Gravures et peintures représentent souvent des scènes de chasse, ou des animaux percés de flèches ; aussi ces manifestations artistiques paraissent-elles liées à des pratiques magiques et à des cérémonies précédant les expéditions des chasseurs.

**B. La vie des hommes aux temps néolithiques à la période holocène.**

Nous sommes maintenant arrivés aux dix derniers milliers d'années de la Préhistoire. Les glaciers ont reculé vers leurs limites actuelles, le climat est devenu tempéré, la végétation et la faune sont, en France, sensiblement celles que nous connaissons aujourd'hui : forêts et prairies parcourues par des hardes de Cerfs, de Chevreuils ou de Sangliers. C'est la période holocène (tout à fait récente).

Les hommes vivent maintenant en tribus importantes et disciplinées. Ils utilisent encore des armes et des outils de silex taillés, notamment de fines pointes de flèches, mais ils savent aussi polir ces matériaux en les frottant sur des roches dures pour faire des haches de *pierre polie* qu'ils emmanchent souvent avec des morceaux de bois ou de corne de cerf.

Dans les stations néolithiques on trouve, avec les outils et les armes de silex taillés ou polis, de nombreux ossements de chien et de mouton, de bœuf et de cheval. On y a aussi recueilli des vases de terre, emplis de graines de graminées, ainsi que des cordages ou des étoffes grossières. L'homme néolithique, s'il est encore chasseur, a appris à domestiquer certains animaux sauvages, à cultiver les céréales, à pétrir l'argile et à tisser les fibres végétales.

La *période néolithique* nous conduit aux derniers millénaires qui ont précédé l'Histoire. L'Homme découvre alors l'usage des *Métaux*, du *Cuivre* et du *Bronze* d'abord, du *Fer* ensuite. Son organisation sociale en grandes tribus lui permet d'édifier des monuments imposants, faits de pierres énormes, les *Monuments mégalithiques*. C'est l'époque des *Dolmens* et des *Menhirs*, particulièrement nombreux en Bretagne, et qui semblent être des monuments funéraires, sans doute des tombeaux de Chefs.

Avec l'*âge des métaux s'achève la Préhistoire*. Elle cède *la place à l'Histoire*, car l'Homme a imaginé les signes de *l'écriture*, ce qui lui permet de raconter lui-même les événements. Le Géologue cède la place à l'Historien.

## 3. Conclusion.

A peine différents des grands Singes, *au début de l'Ère Quaternaire*, il y a environ un million d'années, les **Préhumains** *ont longtemps vécu comme des animaux*, ne s'en distinguant guère que par la faculté qu'ils possédaient de *tailler grossièrement le silex* pour s'en faire des armes et des outils, et aussi d'*utiliser le feu*.

Mais, au **Paléolithique moyen**, il y a environ 100 000 ans, les **Néandertaliens** des cavernes vivaient en familles groupées autour du foyer et ensevelissaient leurs morts ; leurs outils et leurs armes étaient beaucoup mieux façonnés. Au **Paléolithique supérieur**, il y a 15 000 à 25 000 ans, l'**Homme de Cro-Magnon** était déjà un *ouvrier habile*, travaillant le silex et l'os, et un *artiste de talent*, gravant et peignant ; c'était un *être sociable* vivant en petites tribus dans les abris sous roches et les grottes.

Enfin, au **Néolithique**, l'**Homme** vivant en *tribus importantes*, *cultivateur et bâtisseur*, **est bien proche de l'Homme que nous fait connaître l'Histoire.**

## ────── RÉSUMÉ ──────

L'ère quaternaire est caractérisée par d'importantes variations climatiques liées aux extensions ou au recul des glaciers. Ces variations climatiques ont déterminé d'importantes modifications dans la faune quaternaire : certaines espèces, adaptées aux climats chauds, ont disparu, comme l'Eléphant antique, ou ont émigré vers les régions tropicales, comme l'Hippopotame ; d'autres, adaptées aux climats froids, ont aussi disparu, comme le Mammouth, ou ont émigré vers les régions polaires, comme le Renne.

La lignée humaine est apparue dès le début de l'ère quaternaire. Elle est d'abord représentée par des formes très primitives comme le Pithécanthrope et le Sinanthrope. Mais les caractères humains sont déjà nets avec l'Homme de Neandertal ; ils s'affirment complètement avec l'Homme de Cro-Magnon, véritable ancêtre des Hommes actuels.

La Préhistoire s'efforce de reconstituer le genre de vie des Hommes préhistoriques grâce aux vestiges retrouvés sur les lieux qu'ils ont habités.

Au Paléolithique, l'Homme vit, surtout au cours de la dernière glaciation, dans les cavernes et les abris sous roche ; il est essentiellement chasseur et se fabrique des armes et des outils de silex taillés, puis d'os. Après le retrait des glaciers, c'est le Néolithique : aux silex taillés l'Homme ajoute les haches de pierre polie ; il est devenu cultivateur et constructeur. Les monuments mégalithiques, menhirs et dolmens, ont été dressés par l'Homme néolithique vivant en tribus bien organisées. Avec la découverte des métaux s'ouvre la période historique.

| PHÉNOMÈNES GÉOLOGIQUES ET CLIMA |
|---|
| **Actuels** |
| **Actuels Climat tempéré** |
| **Dernière glaciation Climat froid** |
| **Période interglaciaire** |
| **Avant-dernière glaciati Période interglaciaire Première glaciation** |

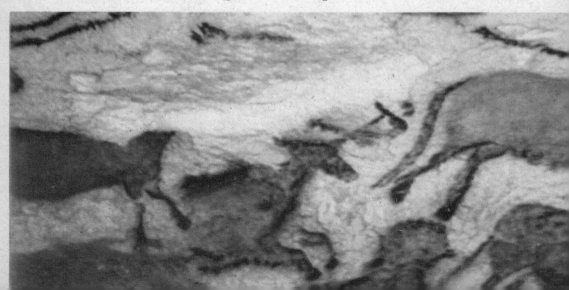

# DE LA PRÉHISTOIRE A L'HISTOIRE

| FLORE ET FAUNE | RACES HUMAINES | INDUSTRIES | ART | PÉRIODES OU AGES ET DATES APPROXIMATIVES exprimées en années avant la période historique |
|---|---|---|---|---|
| *Actuelles* | **Races actuelles** | Épées, aiguilles, épingles | **Menhirs et Dolmens** | **Période des métaux** (bronze et fer) commence vers — 3 500 |
| *Actuelles* (domestication du Chien, du Cheval du Bœuf) | **Races actuelles** | *Pierre taillée et pierre polie,* outils variés : pics et tranchets, *pointes de flèches* | *Poteries décorées Poteries grossières* | **Période néolithique** ou de la *pierre polie* commence vers — 8 000 |
| ...eval, Bison  Renne Mammouth | **Race de Cro-Magnon** | *Outils d'os et de silex finement retouchés* | **Peinture Gravure Sculpture** | **Période paléolithique** ou de la *pierre taillée* se subdivise en<br>**Paléolithique supérieur** commence vers — 50 000 |
| ...erf, Castor, Sanglier | **Race de Néandertal** | *Silex taillés, lames, éclats, racloirs* | ? | **Paléolithique moyen** vers — 100 000 |
| **Éléphant antique** | **Préhumains** | *Bifaces et éclats* | ? | **Paléolithique inférieur**<br>— 100 000 à — 1 000 000 |

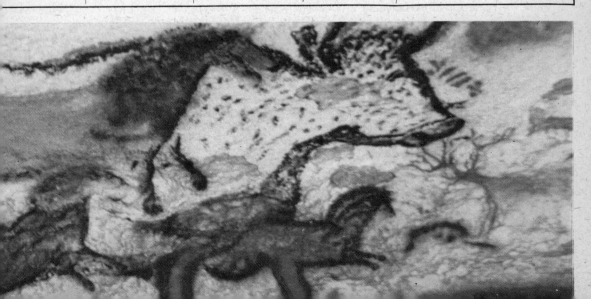

# LA GÉOLOGIE DE LA FRANCE

★ *Celui qui a quelque peu voyagé à travers la France n'a pu manquer d'être frappé par l'opposition entre les régions de plaine comme le Bassin parisien ou l'Aquitaine et les régions montagneuses du massif Central, des Pyrénées et des Alpes. Mais il est aussi des régions présentant aujourd'hui des reliefs modérés et des altitudes modestes, comme la Bretagne et l'Ardenne, qui furent de hautes montagnes autrefois, au cours des temps géologiques. C'est ce que nous ont montré les études des Géologues.*

*Durant tout le XIXe siècle les Géologues ont parcouru les diverses régions de notre pays, visitant les carrières et les tranchées de route et de chemin de fer, observant les falaises et les rivages maritimes, les flancs des coteaux encadrant les vallées fluviales, escaladant les hauts sommets des montagnes. Partout ils ont relevé la nature et la disposition des roches qui constituent le sous-sol de la France.*

*Les résultats de ces observations ont été exposés en de multiples descriptions régionales et enregistrés sur les cartes topographiques à l'échelle du 1/80 000 ; ainsi a été dressée la carte géologique détaillée de la France qui comprend 274 feuilles. Chacun peut se procurer la feuille de cette carte géologique détaillée qui correspond à la région qui l'intéresse plus particulièrement.*

*Des synthèses régionales sont traduites par des cartes à l'échelle du 1/320 000, réunissant 16 feuilles de la carte au 1/80 000. Enfin une carte géologique générale de la France, à l'échelle du 1/1 000 000 résume l'ensemble de la Géologie de notre pays. C'est une carte murale ; une carte analogue, réduite et simplifiée est reproduite ci-contre.*

*Cette carte géologique de la France nous permet d'avoir une idée assez précise de la constitution géologique de notre pays, dans son ensemble. Elle permet aussi de comprendre les rapports qui existent entre la Géologie de telle ou telle région qui nous intéresse plus spécialement et l'ensemble de la Géologie de la France.*

*Les fondations de l'architecture du sol français sont constituées par quelques massifs montagneux formés de terrains plus ou moins anciens qui ont été soulevés, redressés et plissés par des mouvements tectoniques, à différentes périodes, au cours des temps géologiques. L'érosion continentale agit donc sur ces massifs montagneux depuis des temps plus ou moins longs et c'est ce qui nous permet de comprendre les formes arrondies des montagnes vieillies, profondément usées, contrastant avec les formes abruptes des jeunes chaînes. Entre ces massifs plissés s'étendent des bassins sédimentaires qui ont été occupés par des mers peu profondes au fond desquelles se sont déposés en couches horizontales successives les sables, les calcaires et les argiles. Depuis leur dépôt, ces couches sont en général restées horizontales ; parfois elles ont été légèrement relevées ou mollement ondulées sous l'effet des lointains contrecoups des grands plissements.*

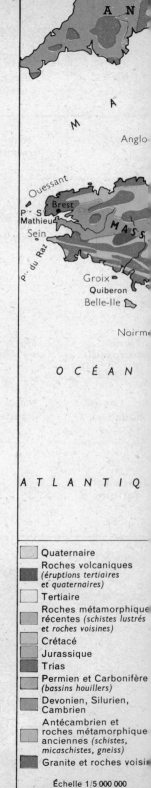

Quaternaire

Roches volcaniques (éruptions tertiaires et quaternaires)

Tertiaire

Roches métamorphiques récentes (schistes lustrés et roches voisines)

Crétacé

Jurassique

Trias

Permien et Carbonifère (bassins houillers)

Devonien, Silurien, Cambrien

Antécambrien et roches métamorphiques anciennes (schistes, micaschistes, gneiss)

Granite et roches voisi

Échelle 1/5 000 000

0 km      50      100

ETERRE  MER DU NORD  BELGIQUE
CHE  Gris Nez  Flandre
Boulonnais  Lys  Bassin houiller franco-belge  Aix-la-Chapelle
de la Hague  Artois Scarpe  Anzin  Charleroi  Namur  Liège
Cotentin  Picardie  Escaut  Valenciennes  ARDENNE  ALLEMAGNE
Etretat  Somme  Amiens  Oise  Sambre  Givet  Rhin
Cherbourg  Pays de Caux  Oise  Longwy  Briey  Bassin de
C. de la Hève  Rouen  Laon  Meuse  Verdun  Woëvre  Metz  la Sarre
Caen  Pays de Bray  Reims  Ornain  Sarre  Moselle
Normandie  Eure  Seine  PARIS  Marne  Nancy  Strasbourg
Orne  Sarthe  Brie  Aube  Meurthe  Moselle  VOSGES  Rhin  FORÊT NOIRE
Vilaine  Chartres  Parisien  Beauce  Fontainebleau  Champagne  Seine  Plateau de Langres  Belfort  Mulhouse  Alsace
Rennes  Mayenne  Sologne  Orléans  Yonne  Saône  Dijon  Besançon  Aar
ARMORICAIN  Angers  Tours  Cher  Bourgogne  Côte d'Or  Doubs  JURA  SUISSE
Nantes  Loire  Touraine  Indre  Yonne  Morvan  Saône  Bresse  Ain  Léman
Vendée  Vienne  Berry  Autun  Dombes  Arve  Mt Blanc
Niort  Poitiers  Creuse  Allier  Loire  Lyon  Bauges  Isère
Ré  la Rochelle  Poitou  Commentry  Limagne  Forez  St Étienne  Chartreuse
Oléron  Aunis  Vienne  Limoges  Clermont-Ferrand  Grenoble  Belledonne
Saintes  Charente  Limousin  Isère  Vercors  Pelvoux
Royan  Saintonge  Angoulême  MASSIF CENTRAL  Loire  Le Puy  Vivarais  Briançon  PIÉMONT
de Grave  Gironde  Périgord  Cantal  Velay  Drôme  Dauphiné  ALPES  ITALIE
Arcachon  Bassin  Bordeaux  Isle  Aurillac  Allier  Drac  Durance  Mercantour
Dordogne  les Eyzies  Aubrac  Ardèche  Rhône  Ventoux  Var  Nice
Landes  Aquitain  Garonne  Quercy  Decazeville  Causses  Cévennes  Gard  Provence  Estérel
fe de  Lot  Aveyron  Alès  Nîmes  Durance  Verdon  Maures
scogne  Adour  Tarn  Mgne Noire  Languedoc  Crau  Camargue  Marseille  I. d'Hyères
ritz  Pau  St-Marcet  Toulouse  Golfe du Lion
Basque  Béarn  Lannemezan  Garonne  Petites Pyrénées  Aude  C. d'Agde
BÉARN  Vignemale  Corbières  Roussillon  MER
Cirque de  Maladetta  Canigou  C. Cerbère
Gavarnie  PYRÉNÉES  C. de Creus
ESPAGNE  MÉDITERRANÉE

Bastia

CORSE

Ajaccio

Bonifacio

# 16 Les chaînes de montagnes

## Les massifs montagneux anciens

### 1. Le massif Armoricain.

Le massif Armoricain s'étend non seulement sur toute la Bretagne et sur la presqu'île du Cotentin, mais aussi sur la Normandie occidentale, les régions de la Mayenne, du Maine et de l'Anjou, ainsi que sur une grande partie de la Vendée. Ses limites orientales sont très nettes car elles sont constituées par des terrains secondaires, jurassiques et crétacés, dont les couches sont horizontales.

**Regardons la carte géologique :** elle résume les observations faites sur le terrain par de nombreuses générations de géologues. Nous remarquons tout de suite deux bandes de terrains granitiques et métamorphiques, orientées de l'Ouest à l'Est : au Nord, la bande du Léon, prolongée par le Trégorrois et la région de Saint-Malo jusqu'au sud du Cotentin; la bande Sud, légèrement inclinée vers le Sud-Est, s'étend de la Pointe du Raz et de la Cornouaille jusqu'à la Vendée. Entre ces deux ensembles de roches éruptives et cristallophylliennes, affleure une étroite bande de terrains sédimentaires, très pincée dans sa partie médiane, mais qui s'élargit à l'Ouest, dans la région de Crozon-Châteaulin et à l'Est dans le bassin de Laval. Ces terrains sédimentaires sont surtout représentés par des schistes et des grès attribués au Silurien et au Dévonien. On retrouve des terrains sédimentaires analogues, dont les affleurements se présentent aussi en bandes alignées de l'Ouest à l'Est, au sud de Caen, dans la région de May-sur-Orne, et surtout dans les régions d'Angers et d'Ancenis où les schistes siluriens sont activement exploités car ils forment d'excellentes ardoises. Tous ces terrains sédimentaires sont fortement plissés. Comme ils sont formés de couches datant du milieu de l'ère primaire, les

plissements **se sont produits à la fin de l'ère primaire;** cette déduction est d'ailleurs confirmée par la disposition horizontale des couches secondaires qui bordent à l'Est le massif Armoricain.

Les plissements de la fin de l'ère primaire sont désignés sous le nom de **plissements hercyniens.** Dans le massif Armoricain, la direction générale des plis est d'orientation Ouest-Est. Mais dans la Bretagne méridionale et en Vendée cette direction s'infléchit nettement vers le Sud-Est, c'est ce que l'on appelle la **direction armoricaine.**

A la fin de l'ère primaire s'élevait donc en ces régions un massif montagneux important et d'altitude élevée. Depuis lors, ces montagnes armoricaines ont été soumises à l'érosion continentale et elles sont aujourd'hui réduites à la partie centrale des anticlinaux, occupée par les pointements granitiques et les bandes de gneiss et de schistes cristallins, et au fond des synclinaux représentés par les bandes sédimentaires. Les plus hauts sommets (300 à 380 mètres) sont constitués par les noyaux granitiques (massif de Vire) ou les alignements des barres de grès armoricain dont les bancs ont mieux résisté à l'érosion (Montagne Noire et Monts d'Arrée).

### 2. Le massif Central.

Le massif Central se présente, au cœur de la France, comme un bloc compact de **terrains anciens, granites et schistes cristallins,** aux bords parfois échancrés par de profondes découpures, comme les dépressions des Limagnes au Nord, remplies de sédiments tertiaires, et le golfe des Grands Causses au Sud, comblé par les terrains jurassiques. Les terrains secondaires horizontaux le bordent sur la plus

1 La lande bretonne dans les Monts d'Arrée.

grande partie de sa périphérie, dans le Quercy et le Périgord, le Poitou et le Berry, la Bourgogne et le Languedoc. D'altitude relativement modeste à l'Ouest, dans le Limousin, il présente, en revanche, des reliefs accusés à l'Est, où les Cévennes dominent de plus de 1 000 mètres la vallée du Rhône, et au centre, où les édifices volcaniques ont rajeuni le relief de la pénéplaine résultant de l'érosion antérieure.

Quelle est donc, dans ses grandes lignes, l'histoire du massif Central ?

Le Limousin nous apparaît comme un prolongement vers le Sud-Est, par-delà le seuil du Poitou, du massif vendéen, comme celui-ci il présente des plis de **direction armoricaine**. Son histoire est semblable à celle du massif Armoricain. Vers l'Est, l'axe des zones plissées s'infléchit et prend la direction Sud-Ouest-Nord-Est; c'est la **direction varisque**; on retrouve cette direction, encore plus nettement affirmée dans les monts du Lyonnais et du Charolais, ainsi que dans le Morvan. Par-delà le seuil de Bourgogne, elle se prolonge dans les Vosges. Ces régions montagneuses, entourées de terrains secondaires horizontaux, ont été plissées à la fin de l'ère primaire : ce sont des **plissements hercyniens**.

Au sein des régions plissées sont encastrés divers bassins houillers, en particulier ceux de Commentry au Nord-Ouest, du Creusot et de Saint-Etienne à l'Est, de Bessèges et de la Grand-Combe au Sud-Est, de Carmaux et Decazeville au Sud. Dans les dépressions des jeunes montagnes hercyniennes se sont accumulées les **alluvions torrentielles** et les **débris végétaux** qui forment les **couches des bassins houillers.** Une nouvelle phase de plissements, tout à fait à la fin de l'ère primaire, a d'ailleurs disloqué plus ou moins ces terrains carbonifères.

Le massif Central est entouré de terrains secondaires horizontaux. On peut ainsi imaginer ce massif montagneux, constituant, durant toute l'ère secondaire, une grande île au milieu des mers. Au jurassique, la mer pénètre profondément dans le golfe des Grands Causses qui est comblé par les sédiments déposés au cours de cette période, tandis que tout autour de cette île s'accumulent les marnes et les calcaires du Quercy et du Poitou, du Berry et de la Bourgogne. Au crétacé, la sédimentation marine se poursuit tout autour du massif Central émergé.

A l'ère tertiaire, des mouvements tectoniques importants bouleversent les régions pyrénéennes et alpines. Ces efforts gigantesques ébranlent les régions voisines. Le massif Central, soulevé sur son bord oriental, se fracture, de nombreuses failles apparaissent, les fossés de la Limagne et du Forez s'affaissent et sont envahis par la mer; ils sont alors comblés par les sédiments tertiaires. Par les fractures, le magma profond s'élève vers la surface et s'épanche au cours d'une longue **période d'activité volcanique.** Ainsi se constituent, dans la seconde moitié de l'ère tertiaire, le massif du Cantal et celui du Mont-Dore, et le Meygal et le Mézenc dans le Velay; au Quaternaire surviennent les éruptions qui ont édifié la Chaîne des Puys

et produit les coulées basaltiques du Vivarais.

## 3. Les Vosges.

Les Vosges, surtout les Vosges du Sud, sont, tout comme le massif Central, des montagnes essentiellement **granitiques.** Par-delà la vallée du Rhin, le massif de la Forêt-Noire est tout à fait analogue. Il y a comme une sorte de symétrie de part et d'autre de la plaine d'Alsace : Vosges et Forêt-Noire ont jadis constitué un unique massif montagneux, comparable au massif Central. C'était aussi un **massif hercynien** qui fut, durant l'ère secondaire, entouré par les mers triasiques et jurassiques. On trouve en effet des terrains secondaires analogues tout autour de l'ensemble Vosges-Forêt-Noire.

Mais, vers le milieu de l'ère tertiaire, sous l'effet des poussées alpines, ce bloc Vosges-Forêt-Noire, formé de roches anciennes rigides et cassantes, a été soulevé dans sa partie méridionale et il s'est brisé en son milieu. L'effondrement du fossé alsacien est tout à fait comparable à l'affaissement de la Limagne. Les mers tertiaires ont alors envahi la dépression ainsi formée; les sédiments tertiaires et quaternaires ont comblé cette fosse et forment le sous-sol de la plaine d'Alsace.

▼ 2    Dans la Chaîne des Puys, cônes volcaniques et cratères d'âge quaternaire.

◀ 3 Dans les Vosges méridionales, vieilles montagnes hercyniennes, le sommet arrondi du Ballon d'Alsace.

4 Les couches des calcaires carbonifères à la citadelle de Dinant : elles ont été redressées à la verticale par les plissements hercyniens.

## 4. L'Ardenne et le bassin houiller franco-belge.

Le massif ardennais s'étend sur le sud de la Belgique, mais son extrémité occidentale constitue, en France, les régions de Rocroi et de Givet. La vallée de la Meuse tranche le massif du Sud au Nord, entre Mézières et Namur. Au Nord, l'Ardenne est bordée par le **sillon houiller** franco-belge ; les terrains carbonifères affleurent en Belgique, de Liège à Charleroi ; vers l'Ouest, à Mons, et en France dans les régions de Valenciennes et de Lens, ils sont recouverts par des terrains crétacés, que les mineurs appellent mortterrains.

Le massif de l'Ardenne est ainsi limité, au Nord, à l'Ouest et au Sud, par des terrains secondaires horizontaux. La carte géologique nous apprend qu'il est formé de terrains primaires, essentiellement dévoniens et carbonifères. En suivant la vallée de la Meuse, on constate que les couches sont fortement redressées et plissées. Les ardoises de Deville, de Revin et de Fumay représentent les **terrains cambriens** ; les couches sont plissées ; c'est le **plissement calédonien,** car les terrains dévoniens sont discordants sur ces couches cambriennes. Ces **terrains dévoniens** sont bien représentés par les calcaires de Givet, dans lesquels on peut observer de nombreux récifs de Polypiers. Au-dessus, les **calcaires carbonifères,** ou marbres noirs de Dinant, constituent le substratum des couches du houiller. Les terrains dévoniens et carbonifères sont plissés et disloqués : une nouvelle phase de plissement est donc intervenue à la fin de l'ère primaire : ce sont **les plissements hercyniens.** Ces plissements expliquent les dislocations que l'on constate dans les couches de houille.

\*\*

Les terrains secondaires et tertiaires qui entourent l'Ardenne ou bordent à l'Est le massif Armoricain et ceux que l'on retrouve tout autour du massif Central ou sur le bord occidental des Vosges ne sont jamais plissés. Parfois on y relève de légers pendages et des failles provoqués par le contrecoup des poussées alpines. Au contraire, dans les Pyrénées et dans les Alpes, les terrains secondaires et même des terrains tertiaires sont fortement plissés. Cela nous indique qu'une nouvelle phase de plissements, de très grande importance, est survenue à l'ère tertiaire. **On désigne ces plissements tertiaires sous le nom de plissements alpins.**

# Les chaînes récentes et les plissements alpins

## 5. Les Pyrénées.

Regardons la carte géologique. Nous remarquons que la chaîne pyrénéenne, depuis le pays basque jusqu'au Canigou et au cap Cerbère, présente une **large zone axiale de terrains primaires** au milieu desquels on voit pointer 'des **massifs granitiques** comme ceux du Pic du Midi de Bigorre et des Trois Seigneurs. L'histoire de cette zone axiale est sans doute comparable à l'histoire des **massifs hercyniens** déjà étudiés. Au Nord et au Sud de cette zone axiale s'alignent des affleurements de *terrains secondaires*, triasiques, jurassiques et crétacés, *discordant sur les terrains primaires, mais eux aussi fortement plissés.*

Les parois abruptes du Cirque de Gavarnie sont constituées par des calcaires du Crétacé supérieur contenant des fossiles marins et portés à plus de 2 000 m d'altitude, et des couches de même âge constituent les falaises aux strates intensément plissées de la Pointe Sainte-Barbe à Saint-Jean-de-Luz. Une importante phase de plissements s'est donc produite après le dépôt des terrains crétacés. Des observations détaillées ont permis de préciser que **la phase principale des plissements pyrénéens s'était produite au début de l'ère tertiaire, à l'époque éocène.** Alors la zone axiale, formée de roches anciennes dures et rigides, s'est soulevée, tandis que les couches secondaires, beaucoup plus souples, se sont décollées et ont glissé en formant des « plis de couverture ».

Depuis lors, l'érosion continentale attaque les hauts sommets, sculptant la chaîne et creusant les vallées, entraînant des masses énormes de matériaux qui sont allées se déposer en formant les alluvions de « piedmont » du Plateau de Lannemezan et plus loin encore, les mollasses et les nappes de cailloutis de l'Aquitaine.

## 6. Les Alpes et le Jura.

La chaîne alpine se développe en arc de cercle, depuis Nice jusqu'à Vienne, en Autriche, couvrant tout le sud-est de la France, la plus grande partie de la Suisse et de l'Autriche et tout le nord de l'Italie. Très élevée, avec ses sommets escarpés séparant les champs de neiges éternelles, *c'est une chaîne jeune et sa surrection est relativement récente.*

L'examen de la carte nous permettra de dégager les principales phases de son histoire.

Nous remarquons d'abord une **série de massifs cristallins.** Mercantour, Pelvoux et chaîne de Belledonne, Mont Blanc. Leur mise en place remonte, comme dans les autres chaînes, à la fin de l'ère primaire; ils sont les restes d'une **chaîne hercynienne.**

A l'extérieur de cette zone des massifs cristallins, *les terrains secondaires constituent les chaînes subalpines :* Vercors et Chartreuse, Bauges et Bornes.

A l'intérieur, dans les régions du Briançonnais, affleurent des terrains carbonifères et triasiques et surtout, dans les zones les plus internes, vers la frontière et en Italie, d'**épaisses séries monotones de schistes lustrés** qui sont des roches métamorphiques récentes provenant de la transformation de sédiments jurassiques et crétacés. **Toutes ces formations sont intensément plissées.**

On imagine alors que, durant toute l'ère secondaire, une sédimentation importante accumula des couches épaisses de plusieurs milliers de mètres; mais le faciès des sédiments, dans la région briançonnaise où l'on trouve des calcaires coralliens indiquant une faible profondeur, permet de penser qu'une cordillère a commencé à se soulever en ces régions dès le milieu du Jurassique, isolant une avant-fosse à l'Ouest, du grand géosynclinal piémontais à l'Est dont le fond s'enfonçait au fur et à mesure du dépôt des sédiments.

Cette sédimentation se poursuit à l'Eocène, tandis que dans les régions provençales se soulèvent des chaînons orientés Ouest-Est comme les plis des Pyrénées. Ainsi, **au début de l'ère tertiaire, les plissements pyrénéens se sont fait sentir jusqu'en Provence.**

Mais c'est vers le milieu de l'ère tertiaire, à la **période oligocène**, que se produit le paroxysme des plissements alpins. La poussée venant du Sud-Est comprime et soulève les grandes fosses; les sédiments qui les emplissaient sont déversés vers l'extérieur, vers l'Ouest et le Nord-Ouest. Les **massifs cristallins eux-mêmes sont soulevés,** leur couverture sédimentaire se décolle et glisse vers l'Ouest en plis déversés qui formeront les chaînes subalpines : le Vercors, la Chartreuse et les Bauges. Dans les **régions internes**, vers le Piémont, les pressions sont considérables, les sédiments sont métamorphosés en **schistes lustrés** dont les couches, chevauchant les unes sur les autres, poussent vers l'Ouest leur couverture qui déferle en **nappes de charriage.**

Une dernière poussée soulève encore l'ensemble à la période Miocène tandis que les eaux marines s'avancent en transgression à l'extérieur de l'arc alpin, depuis la région de Marseille jusqu'en Suisse en déposant les mollasses dauphinoises et helvétiques.

Au Pliocène, la jeune chaîne, très élevée, est attaquée par les agents d'érosion; les matériaux arrachés aux sommets et entraînés par les eaux torrentielles vont former, en avant de la chaîne, des épandages de cailloutis comme ceux des plateaux de Chambarran et de Valensole.

*Les plissements du Jura apparaissent comme la conséquence du soulèvement de la chaîne alpine.* Le socle ancien profond sur lequel sont venues buter les poussées alpines s'est soulevé dans sa partie orientale. De nombreuses failles se sont produites, mais l'ensemble a constitué un plan incliné vers le Nord-Ouest. Sur ce plan incliné, les couches jurassiques et crétacées ont glissé et ont formé les chaînons réguliers du Jura.

## ——————— EXERCICES D'OBSERVATION ———————

**1.** Reproduire la carte de la France et y reporter les régions montagneuses. Colorer :
en rouge les massifs hercyniens,
en bleu les terrains secondaires plissés,
et en jaune les fossés d'effondrement remplis de sédiments tertiaires.

**2.** Recueillir et classer photographies et cartes postales représentant des paysages caractéristiques des principales régions montagneuses : reliefs usés du plateau ardennais, du massif Armoricain et du massif Central; reliefs volcaniques; pics et sommets des chaînes tertiaires : Pyrénées, Alpes et Jura.

## ——————————————————————————————— R É S U M É ———

● 1. *La Géologie de la France est caractérisée par quelques grands bassins sédimentaires encadrés par des massifs montagneux.*

● 2. *Au Nord, le massif de l'Ardenne nous permet de reconnaître des plissements calédoniens, datant du milieu de l'ère primaire, et des plissements hercyniens, datant de la fin de l'ère primaire.*

● 3. *Nous retrouvons des plissements hercyniens dans le massif Armoricain, le massif Central et les Vosges. Ces deux derniers massifs montagneux ont d'ailleurs été ébranlés et rajeunis à l'ère tertiaire par les plissements alpins.*

● 4. *Les Pyrénées sont des montagnes soulevées au début de l'ère tertiaire; il en est de même des chaînes provençales. Mais la grande chaîne alpine, dont l'histoire est fort longue, s'est constituée vers le milieu de l'ère tertiaire. Sa formation a ébranlé les régions voisines et provoqué le plissement du Jura.*

# 17 Les bassins sédimentaires

★ *Entre les massifs montagneux s'étendent les bassins sédimentaires. Largement étalé au centre de la France, le Bassin parisien est de beaucoup le plus important. Il communique par l'Artois avec les plaines belges et vers le Sud, passe au Bassin aquitain par le seuil du Poitou, et au Couloir rhodanien par la Bourgogne et la vallée de la Saône.*

## I. Le Bassin parisien.

Il se développe en une vaste cuvette entre le massif Armoricain à l'Ouest, le massif Central au Sud et les Vosges à l'Est. Vers le Nord-Ouest, la Manche le sépare du bassin de Londres, qui présente une disposition et une constitution géologique analogues. La carte géologique nous montre, de la périphérie vers le centre, une série d'auréoles concentriques, bleues ou jurassiques, puis vertes, ou crétacées, entourant le centre du Bassin de Paris occupé par les terrains tertiaires. C'est à l'Est que la série est la plus complète et nous allons en décrire les différents termes, depuis les Vosges jusqu'à Paris, des terrains les plus anciens aux terrains les plus récents.

A. Au contact des Vosges granitiques, d'abord **le Trias. Les terrains triasiques** sont ainsi nommés parce qu'ils comprennent trois couches bien caractérisées; ils sont représentés sur la carte par des teintes violettes.

● A la base, des *grès* plus ou moins grossiers, roses ou violacés, forment les escarpements abrupts couverts de forêts dans les Vosges septentrionales ou Vosges gréseuses. Ces grès constituent d'excellentes pierres de construction; ils ont notamment été utilisés pour la cathédrale de Strasbourg.

● Au-dessus, des **calcaires coquilliers**, riches en fossiles marins, indiquent une transgression des mers triasiques; ils sont exploités pour la fabrication de la chaux.
● Ils sont recouverts par des **marnes** aux couleurs bariolées, grises et vertes, rouges et violettes, contenant par endroits des lentilles de gypse et de sel gemme; elles indiquent un régime lagunaire, donc une régression des eaux marines.

B. **L'auréole jurassique** : Les terrains jurassiques, représentés sur la carte par des teintes bleues, forment une grande bande encerclant le Bassin parisien, à l'Est et au Sud, depuis l'Ardenne jusqu'au Poitou en passant par la Lorraine, le plateau de Langres et le Berry. On les retrouve à l'Ouest, adossés au massif Armoricain, jusqu'en Normandie, dans la région de Caen.

On doit logiquement penser qu'ils forment une vaste cuvette sous le centre même du Bassin parisien; c'est ce que les sondages pour le pétrole ont d'ailleurs vérifié. Ce sont plutôt des cuvettes emboîtées, dont nous allons étudier la succession sur le bord, en Lorraine, où la superposition est particulièrement nette.

● Au-dessus du Trias, **le Jurassique inférieur** est constitué par des calcaires et par des marnes; il affleure à l'est de Nancy et de Metz, et la Moselle a creusé sa vallée dans ces couches tendres. Au

**1** La succession des terrains secondaires

Côte de l'Ile-de-France — Épernay — CHAMPAGNE POUILLEUSE — Craie — Argile — Sables verts — CHAMPAGNE HUMIDE — Argile — Plateau du Barrois — Calcaire marneux

TERTIAIRE — CRÉTACÉ

sommet de la série marneuse sont interstratifiées les couches de minerai de fer connu sous le nom de Minette lorraine, qui est à la base de l'industrie métallurgique de cette région, de Pont-à-Mousson à Thionville.

● Puis viennent les **côtes de Moselle,** constituées par les calcaires oolithiques du **Jurassique moyen.** Ces calcaires forment les plateaux des environs de Montmédy, de Longwy et de Briey, percés de puits de mines permettant d'atteindre le minerai de fer qui se trouve au-dessous. Ils couronnent les buttes (Grand-Couronné de Nancy) et les côtes dominant les vallées. Ils se prolongent, vers le Sud, par le plateau de Langres.

2 La colline de Sion, butte témoin à l'est de la côte de Moselle.

● Vers l'Ouest affleure le **Jurassique supérieur ;** sa base est formée par les argiles et les marnes de la Woëvre, elles-mêmes recouvertes par les calcaires récifaux, très durs, qui forment les **côtes de Meuse.** Elles constituent une véritable muraille, dressée du Nord au Sud, depuis Dun-sur-Meuse jusqu'à Commercy et Vaucouleurs, dominant les marécages de la Woëvre à l'Est. C'est pourquoi les forts de Vaux et de Douaumont avaient été construits sur la « côte », protégeant Verdun. La Meuse, à Verdun, ne coule d'ailleurs pas au pied de la « côte »; elle a entaillé le plateau calcaire, à quelques kilomètres à l'Ouest, en y creusant une profonde vallée. Ce plateau s'infléchit vers l'Ouest en une nouvelle région déprimée,

au sous-sol marneux, occupée par la vallée de l'Aire, c'est la dépression de l'Argonne dominée à l'Ouest par une troisième rangée de côtes, les **côtes du Barrois,** couronnées par les calcaires très durs du Jurassique terminal.

Tous ces terrains jurassiques sont formés de sédiments marins, correspondant à des profondeurs plus ou moins grandes, mais les calcaires du Barrois indiquent une régression, un retrait de la mer.

**C. L'auréole crétacée.** Elle est emboîtée dans l'auréole jurassique et encercle complètement le centre du Bassin parisien, occupé par les terrains tertiaires.

● Au-dessus des calcaires du Barrois, des sables et des argiles sont attribués au **Crétacé inférieur.** Ils contiennent des fossiles marins et indiquent donc une nouvelle transgression marine. On les rencontre depuis la Thiérache au Nord jusqu'à la Puysaye au Sud, supportant forêts et riches prairies. En Champagne humide

e la côte de l'Île-de-France aux Vosges

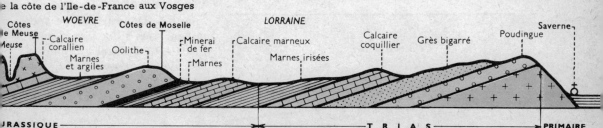

Côtes de Meuse — Meuse — Calcaire corallien — Marnes et argiles — Oolithe — Côtes de Moselle — Minerai de fer — Marnes — Calcaire marneux — Marnes irisées — Calcaire coquillier — Grès bigarré — Poudingue — Saverne

WOEVRE — LORRAINE

JURASSIQUE — T R I A S — PRIMAIRE

affleurent, entre deux couches d'argile, les sables verts contenant la nappe aquifère captive qui alimente, à 600 mètres de profondeur, les puits artésiens de la région parisienne.

● **Le Crétacé supérieur** forme le sous-sol de la Champagne; on le retrouve tout autour du centre de la cuvette parisienne : en Picardie et en Normandie, au Nord et à l'Ouest, dans la région de Sens et en Touraine vers le Sud. Il est formé par la craie dont les couches atteignent une épaisseur de plusieurs centaines de mètres.

Ainsi, des Vosges à la Champagne, **toutes les couches des terrains secondaires** plongent vers le centre du Bassin parisien. Dans l'ensemble il en est de même sur toute la périphérie. C'est ce qui justifie l'expression de cuvette souvent employée pour désigner le Bassin parisien. Au centre de la cuvette, la craie est recouverte par les terrains tertiaires.

**D. Les terrains tertiaires :**

● Au-dessus de la craie, on rencontre des couches d'argile: c'est l'**argile plastique**, formation d'eau douce contenant par endroits de nombreux débris végétaux (argiles à lignites). La mer, retirée après le dépôt de la craie, était donc remplacée par un vaste lac.

● **Les sables inférieurs,** superposés à l'argile plastique au nord de Paris, indiquent un retour de la mer, venant du Nord-Ouest. Ces sables sont très riches en fossiles.

● Ils sont recouverts par le **calcaire grossier**, lui aussi très riche en fossiles marins. La mer du calcaire grossier recouvrait tout le centre de la cuvette parisienne. Ce calcaire, dont l'épaisseur dépasse vingt à trente mètres, constitue une excellente pierre de construction. Il a été activement exploité autrefois sous Paris même, en des carrières souterraines qui constituent aujourd'hui les catacombes. Les carrières exploitées actuellement se trouvent dans les régions de Creil, de Chantilly et de Pierrefonds où ce calcaire détermine les plateaux du Valois et du Soissonnais (chemin des Dames); ils se terminent vers l'Est par la **côte de l'Ile-de-France** qui domine les plaines crayeuses de la Champagne dans les régions de Laon, de Reims et d'Epernay.

3  La série des terrains tertiaires du Bassin de Paris, de l'argile plastique, à la base, au calcaire de Beauce, au sommet.

**Sud-Est**                                    **Nord-Ouest**

Calcaire et meulière de Beauce

Sables supérieurs
ou sables de Fontainebleau

Marnes à huîtres

Calc. de Brie — Marnes supra-gypseuses

Calc. de Champigny — Gypse

Marnes infra-gypseuses

Sables moyens et calcaire lacustre, intercalé

Calcaire grossier

Argile plastique et argiles à lignites du Soissonnais          Sables inférieurs

Craie

4 La ville haute et la cathédrale de Laon, au sommet d'une butte témoin couronnée par une plate-forme de calcaire grossier, dominent les plaines de craie aux confins de la Champagne et de la Picardie.

● Au-dessus du calcaire grossier viennent les **sables moyens**, indiquant une mer moins profonde et dans lesquels se trouvent même intercalés des calcaires lacustres.

● La régression marine est confirmée par l'épisode lagunaire représenté par le dépôt du **gypse**, dépôt résultant d'une évaporation intense d'eaux saumâtres. Le gypse est lui-même recouvert par les **marnes supra-gypseuses** qui passent vers le Sud-Est à un calcaire lacustre, le **calcaire de Brie.**

● Le retour de la mer est annoncé par les **marnes à huîtres** et s'affirme avec les **sables supérieurs**, encore appelés **sables de Fontainebleau**, fossilifères à leur base dans la région d'Etampes; leur épaisseur atteint une cinquantaine de mètres et ils couvrent tout le centre du Bassin parisien. Mais cette mer abandonne la région parisienne pour n'y plus revenir. La place est occupée alors par un grand lac, dans lequel se déposent des calcaires, les **calcaires lacustres de Beauce** avec lesquels s'achève la série des terrains sédimentaires du Bassin parisien.

**Tous** ces terrains tertiaires se sont déposés durant la première moitié des temps tertiaires, à la **période éocène** jusqu'au gypse, **à la période oligocène** pour les marnes supra-gypseuses et le calcaire de Brie, les sables de Fontainebleau et le calcaire de Beauce.

Depuis le milieu de l'ère tertiaire, le Bassin parisien a été soumis à une érosion continentale intense qui a creusé les vallées et modelé la topographie de plateaux, de vallons et de buttes témoins que nous connaissons aujourd'hui.

## 2. Le Bassin aquitain.

Le Bassin aquitain se présente comme un golfe ouvert largement vers l'Ouest, vers l'océan Atlantique, et limité au Nord et à l'Est par les massifs anciens de Vendée, du Limousin, et de la Montagne-Noire et au Sud par la chaîne pyrénéenne. Nous étudierons les terrains secondaires sur la bordure du Nord-Est et les terrains tertiaires dans le Bordelais, la Côte Basque et le fond du Golfe d'Aquitaine.

**A. Les terrains secondaires.**

Ils forment une longue bande plus ou moins régulière depuis la côte jusqu'au Lot.

● **Les terrains jurassiques** forment au Nord et à l'Est, au contact des terrains anciens de la Vendée et du Limousin, une longue bande s'étendant de l'Aunis au Quercy. Ils sont représentés par les calcaires des plaines de Luçon, de Fontenay-le-Comte et de Niort qui se raccordent, par le seuil du Poitou, avec les formations correspondantes du Bassin parisien, et par ceux de l'Angoumois avec les Causses du Quercy.

Sur la côte, les falaises des environs de La Rochelle contiennent de nombreux fossiles, notamment de beaux exemplaires de Polypiers à la Pointe du Ché, à Angoulins. Les Causses sont des régions calcaires où la circulation des eaux superficielles ou souterraines est à l'origine de paysages pittoresques comme ceux de Rocamadour ou de Padirac.

A la partie supérieure des calcaires jurassiques, des formations lagunaires, comme les argiles à gypse de la région de Cognac, indiquent un retrait de la mer qui marque la fin de la période jurassique.

● La mer revient dans cette région seulement au **Crétacé supérieur**. Elle dépose alors les beaux calcaires de la Saintonge et du Périgord souvent exploités comme pierre de taille. Sur la côte, les falaises de la région de Royan constituent des gisements très fossilifères.

**B. Les terrains tertiaires.** C'est dans la région bordelaise que ces terrains peuvent être bien observés. On les retrouve aussi, sur la bordure sud du Bassin, dans la région de Dax et dans les belles falaises de Biarritz.

Dans la région bordelaise comme dans le Bassin parisien, le début des formations tertiaires correspond à un retour de la mer. Cette **transgression éocène** provoque le dépôt des **Calcaires de Blaye**, riches en oursins fossiles, et qui sont l'équivalent du calcaire grossier de la région parisienne. Au-dessus, des couches marneuses et lacustres indiquent une régression. Une nouvelle transgression, à la **période oligocène**, entraîne le dépôt du **calcaire à Astéries**, calcaire qui forme les « côtes de Bordeaux » dominant la rive droite de la Garonne entre La Réole et Bordeaux. Ce calcaire à Astéries correspond, en Aquitaine, aux sables de Fontainebleau de la région parisienne.

Une régression importante caractérise, ici aussi, la fin de la période oligocène, mais en Aquitaine, une nouvelle transgression survient au début du Miocène. Cette **transgression miocène** provoque le dépôt de sables coquilliers très fossilifères, les **faluns du Bordelais**. Elle sera suivie du retrait définitif de la mer.

▼ 5 Falaises du crétacé supérieur de Saintonge, dans la région de Talmont, non loin de Royan.

Durant toute l'ère tertiaire, vers le fond du Golfe aquitain, en des régions que les transgressions marines n'atteignent pas, non loin du massif Central et au pied des Pyrénées qui viennent de surgir, se déposent d'épaisses couches de formations détritiques : sables du Périgord; mollasses de l'Albigeois et du Castrais, du Lauragais, de l'Agenais, roches tendres, argilo-sableuses et argilo-calcaires; cailloutis du Lannemezan, et aussi, en de nombreux points, des calcaires lacustres ou des sables fluviatiles.

À l'ère quaternaire, les grands fleuves descendant du massif Central et des Pyrénées ont creusé leurs vallées, noyé la partie inférieure de ces vallées sous des nappes de cailloutis. Après quoi, à la période froide post-glaciaire, des sables entraînés par le vent ont recouvert toute la région des Landes de Gascogne.

## 3. Le couloir de la Saône et du Rhône.

Cette longue dépression, coincée entre le massif Central à l'Ouest et les chaînes alpines et jurassiennes à l'Est, communique avec le Bassin parisien par la Bourgogne.

### A. Les terrains secondaires.

Ce sont surtout des **terrains jurassiques** dans la Côte-d'Or qui se raccordent à ceux de la bordure orientale du Bassin parisien. Au Sud, les **terrains crétacés** de la région nîmoise sont analogues à ceux des Alpes de Provence.

### B. Les terrains tertiaires sont bien représentés, surtout ceux de la seconde moitié de l'ère tertiaire.

Dans les environs de Marseille et dans le Gard, le Vaucluse et la Drôme, des gisements fossilifères jalonnent la **transgression miocène** qui s'est avancée jusqu'en Suisse en contournant l'arc alpin.

Une nouvelle transgression survient au **Pliocène** ; elle parvient jusqu'à la région lyonnaise, tandis que la Bresse est occupée par un vaste lac.

Au **quaternaire**, les grandes extensions des glaciers alpins ont recouvert de leurs moraines et de leurs cailloutis toute la dépression. Le Rhône et ses affluents y ont ensuite déblayé leurs vallées.

## EXERCICES D'OBSERVATION

**1.** Situez votre région dans l'ensemble de la Géologie de la France et essayez de préciser, d'après la carte géologique, l'âge des terrains qui affleurent aux environs de votre ville.
**2.** Observez dans votre région quelques carrières ou quelques gisements fossilifères, recueillez des roches et des fossiles, essayez de les identifier ou de les déterminer. Ainsi arriverez-vous à une idée assez précise sur la position des terrains de votre région dans l'ensemble de la série stratigraphique et sur les phénomènes géologiques qui se sont succédé en cette région.

## RÉSUMÉ

● 1. *Le Bassin parisien présente, dans sa partie orientale, une succession de terrains sédimentaires qui constitue la série la plus complète que l'on puisse observer en France : Trias des Vosges gréseuses et de la Lorraine calcaire ou marneuse, marnes et calcaires jurassiques des dépressions et des « Côtes », craie de Champagne, calcaire grossier, gypse, sables marins et calcaires lacustres de la région parisienne, tout cet ensemble représente une série continue depuis la base des terrains secondaires jusqu'au milieu des terrains tertiaires.*
● 2. *Le Bassin d'Aquitaine est un golfe largement ouvert vers l'ouest. Il nous a permis de reconnaître les indices des grandes transgressions, y compris la transgression miocène. Enfin la dernière transgression, la transgression pliocène, s'est manifestée dans la vallée du Rhône.*
● 3. *L'observation des terrains permet ainsi de reconstituer les aspects successifs d'une région au cours des temps géologiques.*

# CONCLUSIONS GÉNÉRALES

## I

**Dans la première partie** de cet ouvrage, nous avons appris à connaître les principales **roches** qui constituent l'écorce terrestre. Nous avons distingué :

**1. Des roches sédimentaires,** *disposées en strates, contenant souvent des fossiles.* Elles proviennent de *sédiments,* déposés le plus souvent au fond des eaux, ou parfois à la surface des continents; *ces roches ont donc une origine externe.*

**2. Des roches magmatiques, ou éruptives,** *disposées en massifs, filons* ou *nappes d'épanchement,* ne contenant pas de fossiles. Elles proviennent de la *solidification* soit dans la profondeur de l'écorce terrestre, soit après épanchement à sa surface, *d'un magma fluide d'origine interne.*

**3. Des roches cristallophylliennes,** provenant de la transformation plus ou moins importante des roches précédentes sous les actions combinées de la température, de la pression et d'un ensemble de causes mal connues. Cette transformation constitue le *métamorphisme ;* c'est pourquoi on appelle encore ces roches des *roches métamorphiques.*

## II

**La deuxième partie** a été consacrée à cette **Histoire** même. *C'est une très longue Histoire,* qui se poursuit depuis des centaines de millions d'années, des milliards d'années même. On peut essayer d'en reconstituer les principaux épisodes par *l'observation des terrains sédimentaires* constituant les couches superficielles de l'écorce terrestre; c'est le but de la **Stratigraphie.** Et ces terrains sédimentaires recèlent des *fossiles* qu'étudie la **Paléontologie.**

La **Stratigraphie** et la **Paléontologie** ont permis de diviser l'ensemble des terrains sédimentaires en *séries* et en *systèmes* dont les éléments se sont déposés au cours de temps plus ou moins longs, les *ères* et les *périodes.*

**Les principaux caractères des ères et des périodes** successives sont résumés dans le tableau ci-contre.

On y remarquera tout particulièrement *les phases de plissements* qui ont formé les grandes chaînes de montagnes, et les *caractères paléontologiques* des ères successives.

La **Flore** et la **Faune,** représentées à *l'ère primaire* par des *formes primitives,* ont **évolué** plus ou moins rapidement; et le résultat de cette évolution, c'est la Flore et la Faune actuelles, celles qui nous entourent.

**L'Homme,** qui est au sommet de l'échelle des êtres, *est apparu fort tardivement,* seulement *au début de l'Ere quaternaire,* il y

| ÈRES ET PÉRIODES GÉOLOGIQUES | |
|---|---|
| Quaternaire | Holocène *Age Néolithi*<br>Pléistocèn<br>*Age Paléolith* |
| Tertiaire | Pliocène<br>Miocène<br>Oligocène<br>Eocène |
| Secondaire | Crétacé<br>Jurassiqu<br>Trias |
| Primaire | Permien<br>Carbonifè<br>Dévonien<br>Silurien<br>Cambrien |
| Périodes antécambrien | |

| DATES (en millions d'années) | PRINCIPAUX PHÉNOMÈNES GÉOLOGIQUES | LES ÊTRES VIVANTS | | |
| --- | --- | --- | --- | --- |
| | | LES VÉGÉTAUX | LES INVERTÉBRÉS | LES VERTÉBRÉS |
| 0 | Evolution vers l'état actuel. Extension considérable des **glaciers** (plusieurs glaciations). | **Flore actuelle** Migrations en liaison avec les glaciations. | Actuels. | Evolution et Prépondérance de **l'Homme** |
| — 1 | *Volcanisme* dans le massif Central. Surrection de la **chaîne alpine** Surrection des **Pyrénées** | Prépondérance des **Angiospermes** | Nombreux *Lamellibranches* et *Gastéropodes* **Nummulites** | Prépondérance des **Mammifères** |
| — 60 | *Sédimentation importante.* Transgressions et régressions marines. *Amorces des plissements alpins.* | Premières *Angiospermes.* Prépondérance des **Gymnospermes** | **Ammonites** et **Bélemnites** | Premiers *Oiseaux.* Prépondérance des **Reptiles** |
| — 200 | Plissements **hercyniens** *Formation de la houille.* Plissements **calédoniens** | Premières *Gymnospermes.* Prépondérance des **Cryptogames vasculaires** Algues et Bactéries. | Prépondérance des *Brachiopodes* et des **Trilobites** | Premiers *Reptiles* et *Batraciens* **Poissons cuirassés** |
| — 600 — 3 000 | Plissements **huroniens** | Pas de fossiles connus. | | |

a de cela environ un million d'années. *Son Histoire est donc fort brève, comparée à l'Histoire de la Terre.* Mais son *évolution,* lente au début, puis de plus en plus accélérée, l'*a conduit, d'un stade encore bien proche de l'animalité,* au stade supérieur **d'humanité,** du haut duquel *il s'oppose à tous les autres êtres* par son **intelligence.**

Cette **intelligence** se manifeste non seulement par la **puissance créatrice** de l'Homme, mais aussi par sa **curiosité** pour tout ce qui l'entoure, par le besoin qu'il éprouve de *toujours mieux connaître* et *mieux expliquer* le Monde dont il fait partie.

*La connaissance et l'explication de la Nature,* c'est le but que se proposent **les Sciences naturelles.**

*L'objet propre de* **la Géologie,** *c'est de connaître et d'expliquer la Terre* qui nous porte, *sa constitution et son histoire.* Dans le présent ouvrage, nous avons essayé de montrer comment on pouvait parvenir à cette connaissance et à cette explication. *Mais cet ouvrage ne peut être qu'une* **Introduction** *à une étude plus poussée de la Géologie.*

# TABLE DES MATIÈRES

## RÉFÉRENCES DES PHOTOGRAPHIES

Aguilar : 24; 84, *12.* — Air-Photo : 64, *3*; 116, *3.* — Balland : 117 (c). — B.R.P. : 44. — Brunel : 14. — C.A.P. : 16; 55, *5*; 30; 35, *1*; 13. — Cholet : 28, *2.* — Dupaquier : 73. — Durandaud : 55; 23, *1.* — Ern (Thill) : 92, *10.* — Esso : 41, *11, 13, 14.* — Feher : 8. — Gauroy : 32, *10*; 68, *1*; 194 (c). — Hachette : 22; 58; 75, *5*; 83, *10*; 84; 90, *4, 5*; 92, *9*; 95; 96, *2*; 97; 99; 100; 101, *10.* — Hachette-Boubée : 32, *8, 9*; 82 , *7*; 89; 89, *9*; 91; 96, *3.* — Institut Royal des Sciences Naturelles : 81; 82, *6.* — Jansol : 28, *1.* — Laborde T.C.F : 14, *12.* — Labouche : 50, *7.* — Le Doaré : 115. — Lefèvre : 22; 10; 8, *9.* — Loel : 65, *4.* — Marasco : 210, *2* — Marchal - Comité des Salines : 31. — Martonne (E. de) Lie A. Colin : 46, *2.* — Machatschek : 2. — Muséum National d'Histoire Naturelle : 85; 86; 87; 93; 104. — Noailles : 50, *9*; 76. — Photo-thèque française : 6; 46, *1*; 16, *2*; 123; 124. — Privès : 21 (c). — Ragot : 74. — Ray Delvert : 166. — Roubier : 121. — Sougy : 83, *9*; 88. — Tehojac : 50, 8. — Vernut : 110.

COUVERTURE : Fossiles. (*Atlas Photo.*)

Imprimé en France par BRODARD-TAUPIN, Imprimeur-Relieur, Coulommiers-Paris.
59057-I-9-6197. Dépôt légal n° 119. 3e trimestre 1962.

© *Librairie Hachette* 1962.